DEUTSCH ALS FREMDSPRACHE NIVE

TANGRAM aktuell 1

Lektion 5–8

Kursbuch + Arbeitsbuch

von

Rosa-Maria Dallapiazza

Eduard von Jan

Til Schönherr

unter Mitarbeit von

Jutta Orth-Chambah

Hueber Verlag

Beratung:
Ina Alke, Roland Fischer, Franziska Fuchs, Helga Heinicke-Krabbe,
Dieter Maenner, Gary McAllen, Angelika Wohlleben

Phonetische Beratung:
Evelyn Frey

Mitarbeit an der Tangram aktuell-Bearbeitung:
Anja Schümann

Beratung für die Tangram aktuell-Bearbeitung:
Axel Grimpe, Goethe-Institut Tokyo
Andreas Werle, Goethe-Institut Madrid

Unser besonderer Dank gilt dem MGB, Koordinationsstelle der Migros Klubschulen, Zürich, Schweiz für die freundliche Überlassung einzelner Teile aus Lingua 21, der Klubschuladaption von Tangram, insbesondere von Inhalten aus dem Referenzbuch.

8. 7. 6. | Die letzten Ziffern
2015 14 13 12 11 | bezeichnen Zahl und Jahr des Druckes.
Alle Drucke dieser Auflage können, da unverändert,
nebeneinander benutzt werden.
1. Auflage

Zeichnungen: LYONN cartoons comics illustration, Köln
Verlagsredaktion: Silke Hilpert, Werner Bönzli, Daniela Wagner, Hueber Verlag, Ismaning
Produktmanagement und Herstellung: Astrid Hansen, Hueber Verlag, Ismaning
Druck und Bindung: Stürtz GmbH, Würzburg
Printed in Germany
ISBN 978-3-19-001802-4

Vorwort

Liebe Leserin, lieber Leser,

die Unterrichtspraxis hat gezeigt, dass Lernende mit Tangram sehr schnell in der Lage sind, die neue Sprache aktiv und kreativ anzuwenden. Dies freut uns ganz besonders, haben wir doch damit wesentliche Ziele des Gemeinsamen Europäischen Referenzrahmens erreicht: kommunikative Kompetenz und sprachliche Handlungsfähigkeit der Sprachlernenden.

➡ Was ist neu an TANGRAM aktuell ?

Im Hinblick auf die im Referenzrahmen beschriebenen Kompetenzniveaus erscheint
TANGRAM aktuell nun in **sechs Bänden**:
Je zwei kurze Bände führen zu den Niveaus A1, A2 und B1. Jede Niveaustufe wird mit einer intensiven Vorbereitung auf die Prüfungen *Start Deutsch 1* und *2* bzw. das *Zertifikat Deutsch* abgeschlossen.
Erfahrungen aus dem Unterricht wurden in TANGRAM aktuell aufgegriffen und umgesetzt.

Dabei bleibt das bewährte Konzept im **Kursbuch** erhalten:

- Authentische Hör- und Lesetexte sowie vielfältige Übungen orientieren sich an **lebendiger und authentischer Alltagssprache** und fordern zur kreativen Auseinandersetzung mit den Inhalten heraus.
- Neue Strukturen werden nach dem **Prinzip der gelenkten Selbstentdeckung** herausgearbeitet: Mittels einer induktiven und kleinschrittigen Grammatikarbeit werden die Lernenden dazu befähigt, sprachliche Strukturen und Gesetzmäßigkeiten zu reflektieren und selbst zu erschließen.
- Die **phonetische Kompetenz** der Lernenden wird durch eine Mischung imitativer, kognitiver und kommunikativer Elemente von Anfang an aufgebaut.
- **Lieder**, **Raps** und **Reime** trainieren Aussprache und Intonation auf kreativ-spielerische Weise.

Das **Arbeitsbuch** präsentiert sich mit neuem Konzept:

- Zahlreiche Struktur- und Wortschatzübungen sowie viele kommunikativ-kreative Aufgaben bilden ein breites Spektrum. Im Vordergrund steht dabei das selbstständige Arbeiten zu Hause.
- Die Lernenden können Hörverstehen und Phonetik eigenständig trainieren, da die Audio-CD ins Buch integriert ist.
- Selbsttests geben den Lernenden die Möglichkeit zur selbstständigen Lernkontrolle.
- In jeder Lektion können die Lernenden ihren Lernfortschritt nach den „Kann-Beschreibungen" des Referenzrahmens (selbst) evaluieren.
- Der komplette Lernwortschatz zu den einzelnen Lektionen und den Prüfungen erleichtert ein gezieltes Vokabeltraining.

Wir hoffen, dass es uns gelungen ist, mit TANGRAM aktuell weiterhin das Lehren und Lernen der deutschen Sprache zu einem interessanten, bunten und erfolgreichen Erlebnis zu machen und Sie beim Erreichen der einzelnen Niveaustufen optimal zu unterstützen.

Autoren und Verlag

Inhalt Kursbuch

Inhalt Arbeitsbuch

Anhang

Piktogramme

Text auf CD mit Haltepunkt

Schreiben

Wörterbuch

Hinweis auf das Arbeitsbuch

KURSBUCH B 1–B 2 Hinweis auf das Kursbuch

Regel

Fragen Sie. Hinweis auf eine prüfungsähnliche Aufgabe

§ 2 Hinweis auf den Grammatikanhang

Arbeit und Freizeit

LEKTION 5

A Traumberufe: Berufsanfänger besuchen Profis.

ARBEITSBUCH 1–2

A 1 Was sind die Leute von Beruf? Ergänzen Sie.

A Nina Ruge ____________

B Jim Rakete ____________

C Jochen Senf ____________

D Ricarda Reichart ____________

E Jürgen Klinsmann ____________

F Claudia Schiffer ____________

G Andi Weidl ____________

H Martina Schmittinger *Flugbegleiterin*

Ärztin ◆ ~~Flugbegleiterin~~ ◆ Fotograf ◆ Fotomodell ◆ Fußballtrainer ◆ Journalistin ◆ Schauspieler ◆ Lokführer

● *Ich glaube, Nina Ruge ist Journalistin.*
■ *Vielleicht ist sie ja auch Fotomodell.*
▲ …

A 2 Was passt zu welchen Berufen? Sprechen Sie über die Berufe.

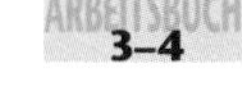

Stress haben ◆ wenig Zeit für die Familie haben ◆ den Menschen helfen ◆ wenig Freizeit haben ◆ lange Arbeitszeiten haben ◆ alleine arbeiten ◆ keine festen Arbeitszeiten haben ◆ nachts arbeiten ◆ im Team arbeiten ◆ mit vielen Leuten arbeiten ◆ viel unterwegs sein ◆ viel reisen ◆ viele Fans haben ◆ viel Geld verdienen ◆ ein festes Einkommen haben ◆ freiberuflich arbeiten ◆ selbstständig sein ◆ …

● *Den Beruf Fotomodell finde ich interessant.* ↘
■ *Ein Fotomodell reist viel→ und verdient viel Geld.* ↘
▲ *Ja,→ aber ein Fotomodell hat auch viel Stress.* ↘ *Das finde ich nicht so gut.* ↘
▼ …

A 3 Hören Sie die Dialoge und ergänzen Sie.

Dialog	Bild	Beruf	Name
1	*G*		
2			
3			

A 4 Lesen Sie die Notizen zu den Interviews. Wer sagt was?

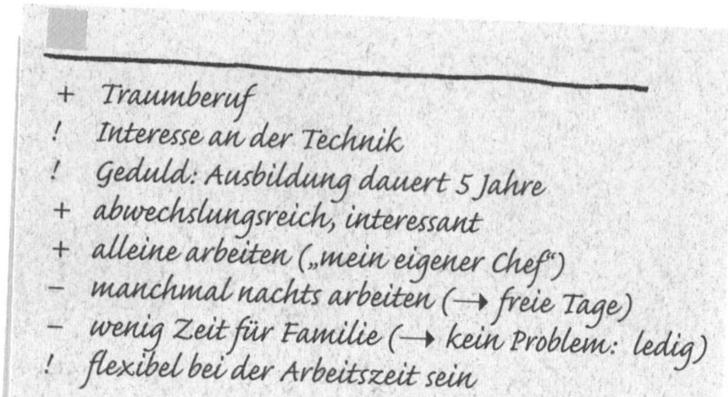

+ Traumberuf
! Interesse an der Technik
! Geduld: Ausbildung dauert 5 Jahre
+ abwechslungsreich, interessant
+ alleine arbeiten („mein eigener Chef")
– manchmal nachts arbeiten (→ freie Tage)
– wenig Zeit für Familie (→ kein Problem: ledig)
! flexibel bei der Arbeitszeit sein

+ *interessant*
+ *den Menschen helfen*
! *viel Erfahrung*
! *ruhige Hand, gute Augen*
! *immer schnell und genau arbeiten*
– *oft rund um die Uhr arbeiten*
– *wenig Zeit für die Familie*

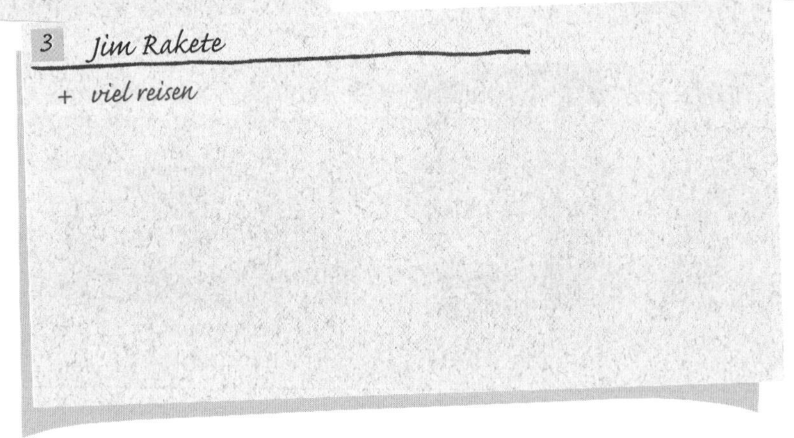

Hören Sie noch einmal, vergleichen Sie und ergänzen Sie die Notizen zu Dialog 3.

A 5 Wie finden die Leute ihre Berufe? Welche Vorteile und Nachteile gibt es? Was ist wichtig? Arbeiten Sie zu dritt.

neutral	+ (= Vorteile)	– (= Nachteile)	! (= wichtig)
	„Ich arbeite **gerne** allein." ↓	„Ich arbeite **nicht gerne** allein." ↓	
Ich arbeite allein.	Ich **kann** allein arbeiten.	Ich **muss** allein arbeiten.	Man **muss** flexibel sein.

● *Frau Reichart sagt, ihr Beruf ist sehr interessant.*
Sie kann den Menschen helfen.

■ *Aber sie muss oft rund um die Uhr arbeiten und sie hat wenig Zeit für die Familie.*

▲ *Sie sagt, ein Chirurg muss viel Erfahrung haben.*
Man muss eine ruhige Hand und gute Augen haben und …

+ *… ist interessant*
Sie kann …

! *Ein Chirurg muss …*

– *Sie muss …*
Sie hat wenig Zeit.

Welche Berufe finden Sie interessant? Warum? Diskutieren Sie.

A 6 Wer arbeitet wo? Machen Sie eine Liste.

Journalisten ◆ Schauspieler ◆ Ärzte ◆ Lehrerinnen ◆ Kellner ◆ Verkäufer ◆ Sekretärinnen ◆ …

bei der Zeitung ◆ bei der Deutschen Bahn ◆ bei der Volkshochschule ◆ beim Fernsehen ◆ beim Film ◆ beim Theater ◆ in der eigenen Praxis ◆ in der Schule ◆ im Büro ◆ im Café ◆ im Kaufhaus ◆ im Krankenhaus ◆ im Restaurant ◆ im Supermarkt ◆ im Hotel ◆ zu Hause

Wo?	*f*	*m*	*n*
bei (+ Dativ)	bei der Zeitung	bei dem → **beim** Film	bei dem → **beim** Fernsehen
in (+ Dativ)	in der Schule	in dem → **im** Supermarkt	in dem → **im** Büro

Journalisten:
bei der Zeitung,
beim Fernsehen,
zu Hause

Arbeiten Sie zu zweit oder zu dritt und vergleichen Sie.

● *Journalisten arbeiten bei der Zeitung.* ↘

■ *Und beim Fernsehen.* ↘

▲ *Oder freiberuflich.* ↘ *Dann arbeiten Sie zu Hause.* ↘

▼ …

Und wo arbeiten Sie? Machen Sie eine Kursliste.

A 7 Lesen Sie die Sätze.

Silke Koch lebt **in Mainz.**

Sie arbeitet **im Büro.**

Sie ist Sekretärin **bei Becker & Co.**

Ihre Tochter Julia arbeitet **bei der Ökonbank.**

Ihr Mann ist Kameramann **beim Fernsehen, beim ZDF.**

Heute ist er **in der Ökonbank** und dreht dort einen Film.

Ihr Sohn Patrick studiert **in Italien.**

Er möchte Schauspieler **beim Theater** werden.

Er ist oft **im Theater**: Er besucht alle Vorstellungen.

Ergänzen Sie die Regel.

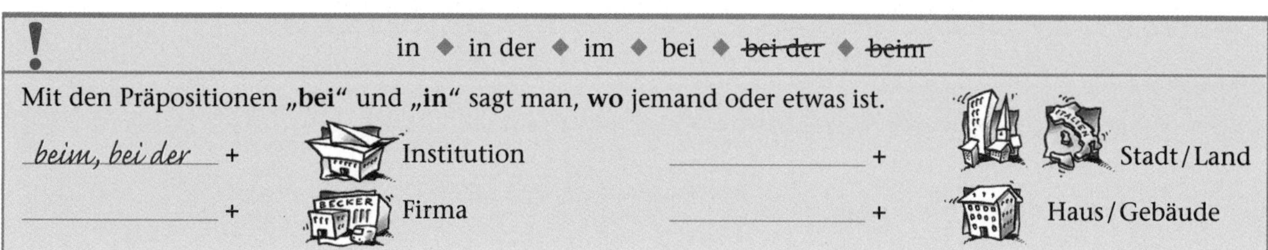

! in ◆ in der ◆ im ◆ bei ◆ ~~bei der~~ ◆ ~~beim~~

Mit den Präpositionen **„bei“** und **„in“** sagt man, **wo** jemand oder etwas ist.

beim, bei der +	Institution	________ +	Stadt / Land
________ +	Firma	________ +	Haus / Gebäude

ARBEITSBUCH 6

A 8 Ratespiel: Was bin ich von Beruf?

Arbeitest du im Team? ↗ — *Nein.* ↘
Arbeitest du im Büro? ↗ — *Nein.* ↘
Musst du auch nachts arbeiten? ↗ — *Ja.* ↘
Hast du ein festes Einkommen? ↗ — *Nein.* ↘
…

…
Sind Sie viel unterwegs? ↗ — *Ja.* ↘
Fliegen Sie oft? ↗ — *Nein.* ↘
Brauchen Sie ein Auto? ↗ — *Ja.* ↘
Sind Sie Taxifahrerin? ↗ — *Ja.* ↘

B Wochenende – und jetzt?

B 1 Welche Tipps finden Sie interessant? Was machen Sie (nicht) gern?

ARBEITSBUCH 7–8

tanzen / essen / spazieren gehen ◆
in den Zoo gehen ◆
einen Einkaufsbummel / Ausflug machen ◆
in die Oper / Disco / Stadt gehen ◆
Musik hören ◆
ins Kino / Theater / Konzert / Museum gehen ◆
zur Musikmesse gehen ◆ zum Flohmarkt gehen ◆
zum Fußball / Eishockey / Pferderennen gehen

Journal Frankfurt
Das Programm vom
26.03. bis 08.04.
Veranstaltungstipps
Film 52
Musik 68
Party 72
Theater 73
Kunst 74
Sport 75
Restaurant 76
Ausflugstipps 78
Specials 78
Veranstaltungskalender
Die Vorschau 79
Tageskalender 80
FRANKFURT

Ich finde die Film-Tipps interessant. ↘
Ich gehe auch gern ins Kino. ↘
Ich gehe nicht gern ins Kino. ↘ *Ich gehe gern tanzen.* ↘
Ich finde …

→ *Wohin?*	*f*	*m*	*n*
in (+ Akkusativ)	in die Disco	in den Park	in das → **ins** Kino
zu (+ Dativ)	zu der → **zur** Musikmesse	zu dem → **zum** Flohmarkt	zu dem → **zum** Fußballspiel

Was macht man in Ihrem Land am Wochenende?

In … besuchen die Leute am Wochenende oft Freunde, oder sie …
Bei uns geht man am Wochenende …

ARBEITSBUCH 9–10

B 2 Hören Sie die Film-Tipps und notieren Sie die Uhrzeiten.

Man schreibt:	Man sagt:
17.30 Uhr	siebzehn **Uhr** dreißig
20.15 Uhr	zwanzig **Uhr** fünfzehn

Cinema:	*Echte Kerle:*	um *15.15* Uhr, *17.30* Uhr und ______ Uhr
Eden:	*Nicht schuldig:*	um *18* Uhr und ______ Uhr, am Samstag auch um ______ Uhr
Eldorado:	*Leon – der Profi:*	um ______ Uhr und ______ Uhr, am Samstag auch um ______ Uhr
Elite:	*Der Schutzengel:*	um ______ Uhr, ______ Uhr und ______ Uhr, am Samstag auch um ______ Uhr
Esplanade:	*Birdcage:*	um ______ Uhr, ______ Uhr, ______ Uhr und ______ Uhr
Europa:	*Zwielicht:*	um ______ Uhr, ______ Uhr, ______ Uhr und ______ Uhr

B 3 Wie sagen die Leute die Uhrzeiten? Hören und ergänzen Sie.

	Der Kinodienst sagt:	Die Leute sagen:
Dialog 1	um siebzehn Uhr dreißig	*um halb sechs*
Dialog 2	um fünfzehn Uhr fünfzehn	______
Dialog 3	um siebzehn Uhr fünfundvierzig	______
Dialog 4	um zwanzig Uhr dreißig	______
	um dreiundzwanzig Uhr	______

Viertel vor
Viertel nach
halb

ARBEITSBUCH 11

B 4 Wie spät ist es? Üben Sie zu zweit.

1
- ● *Entschuldigung, wie spät ist es, bitte?*
- ■ *Es ist neunzehn Uhr fünfunddreißig.*
- ● *Danke.*

2
- ● *Verzeihung, wie viel Uhr ist es, bitte?*
- ■ *Fünf nach halb acht.*
- ● *Vielen Dank.*

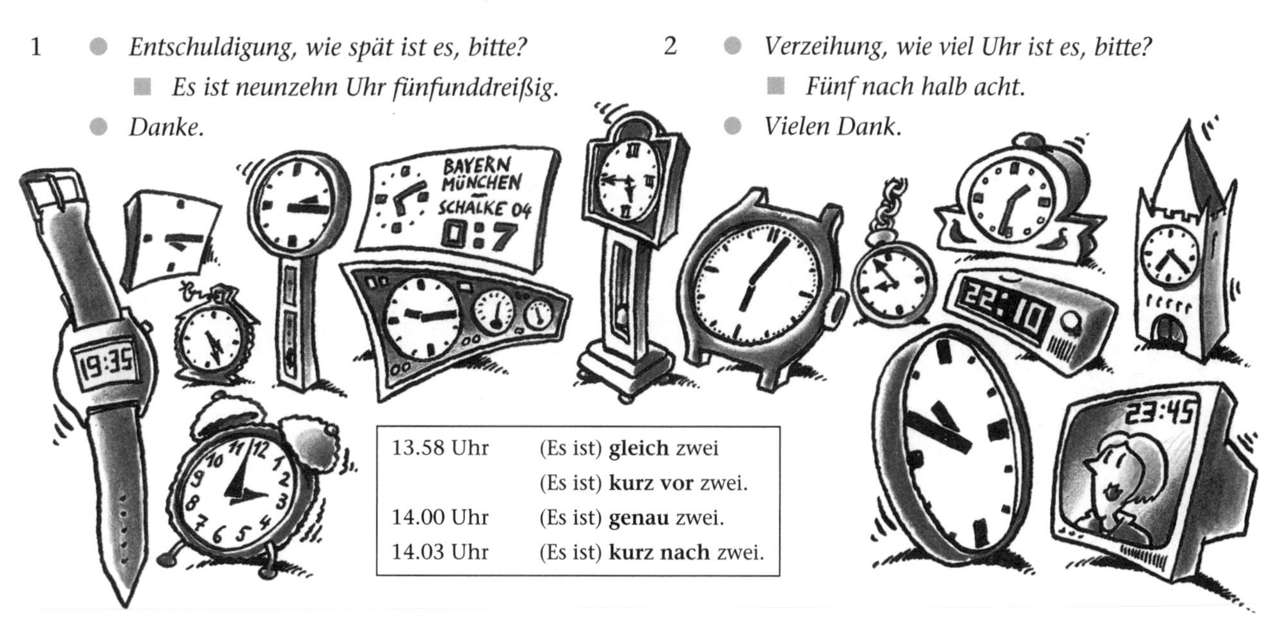

13.58 Uhr	(Es ist) **gleich** zwei
	(Es ist) **kurz vor** zwei.
14.00 Uhr	(Es ist) **genau** zwei.
14.03 Uhr	(Es ist) **kurz nach** zwei.

B 5 Was möchten Sie am Samstag machen?

Notieren Sie eine Veranstaltung aus dem Veranstaltungskalender.

am Vormittag	am Mittag	am Nachmittag	am Abend
9–12 Uhr	11–14 Uhr	13–18 Uhr	17–22 Uhr

SAMSTAG
03
APRIL

MUSIK

Rock/Pop/Folk
IN DER ALTEN OPER
20.00 Seal ausverkauft!
IM IRISH PUB
21.30 Irish Music Session
IN DER FESTHALLE
20.00 Naturally 7
IM UNTERHAUS (MAINZ)
20.00 Pe Werner

Jazz
IM JAZZKELLER
21.00 Abbey Lincoln
IN DER ALTEN OPER
20.30 Maceo Parker, 34,-

PARTY/DISCO
IM BÜRGERHAUS BORNHEIM
22.00 Salsa Disco
IM KA EINS
21.00 Tango Café, 8,-
IM JAZZKELLER
22.00 Swingin Latin Funky Disco
IM PARK CAFE
21.15 Karaoke mit Michael

THEATER
IM SCHAUSPIELHAUS
19.30 Leonce und Lena von Georg Büchner
IN DER FESTHALLE
20.00 Tabaluga und das verschenkte Glück v. Peter Maffay

IN DER BURG (FRIEDBERG)
19.30 Romeo und Julia, von William Shakespeare

Varieté
IM TIGERPALAST
19.30, 22.30 Internationale Varieté-Revue 45,-
IM NEUEN THEATER HÖCHST
16.00, 20.00 Varieté am Samstag

PROGRAMMKINO
IM FILMFORUM HÖCHST
17.00 Findet Nemo oder Deep Blue
20.00 Gegen die Wand
IM FILMTHEATER VALENTIN
17.00 Blueprint
19.00 Erbsen auf halb sechs
21.30 Die Nacht singt ihre Lieder

SPORT

Eishockey
IN DER EISSPORTHALLE
19.30 Frankfurt Lions – EHC Eisbären

Fußball
IM WALDSTADION
15.30 Eintracht Frankfurt – FC Schalke 04

Pferderennen
IN NIEDERRAD
13.00 Großer Preis von Hessen

KUNST
IM MUSEUM FÜR MODERNE KUNST
15.00 Andy Warhol & Joseph Beuys; Führung mit Dr. H. Beck
IM STÄDEL
15.00 August Sander – Menschen des 20. Jahrhunderts (Führung) Ausstellungseröffnung

Wohnkultur aus bestem Hause
art life
wohnstudio
61440 Oberursel
Oberhöchstädter Str. 8

SPECIALS
AM SACHSENHÄUSER MAINUFER
9.00 Flohmarkt (bis 16 Uhr)
IN DER JAHRHUNDERTHALLE
ab **11.00** CD- und Schallplattenbörse Ankauf – Verkauf – Tausch (bis 17 Uhr)
AUF DEM MESSEGELÄNDE
10.00 Musikmesse & Prolight + sound (bis 18 Uhr)

SONNTAG
04
APRIL

MUSIK

Rock/Pop/Folk
IN DER JAHRHUNDERTHALLE
20.00 Limp Bizkit
IM SINKKASTEN
21.30 Who knows?

B 6 Suchen Sie eine Partnerin / einen Partner für Ihre Veranstaltung.

● *Möchten Sie **am** Samstagabend mit mir ins Theater gehen? ↗ In der Burg Friedberg gibt es „Romeo und Julia“. ↘*
■ *Ja, → gerne. ↘ Und wann? ↘*
● ***Um** halb acht. ↘*
■ *Ja, → gut. ↘ Bis dann. ↘*

◆ *Gehst du am Samstagabend mit mir tanzen? ↗ Im Ka Eins gibt es „Tango Café.“ ↘*
■ *Nein, → da habe ich keine Zeit. ↘ Da gehe ich (mit …) ins Kino. ↘*

▲ *Gehst du am Samstagmittag mit mir zum Flohmarkt? ↗*
▼ *Wann denn? ↘*
▲ *So um zehn oder elf. ↘*
▼ *Tut mir leid, → da kann ich nicht. ↘ Da gehe ich zur Musikmesse. ↘*

Wann?	**am** + Tag (Samstag, Sonntag, …)
	um + Uhrzeit

ARBEITSBUCH 12

C Ich möchte ins Konzert gehen, aber ich muss lernen.

C 1 Hören Sie die Dialoge und ergänzen Sie.

6-8

~~essen gehen~~ ◆ für die Mathearbeit lernen ◆ in die Disco gehen ◆ ins Konzert gehen ◆ mitkommen
tanzen gehen ◆ ins Varieté gehen ◆ lesen und fernsehen ◆ zu Hause bleiben und packen

1 Ulrike möchte ______. Klaus möchte ______,
er möchte nicht ______.
Ulrike und Klaus *gehen essen* ______.

2 Herr Wingert möchte mit Frau Sander ______.
Frau Sander kann am Wochenende nicht, sie muss ______.

3 Miriam möchte ______. Jan möchte ______,
aber er muss ______.
Samstag: Jan und Miriam ______.
Sonntag: Jan und Miriam ______.

C 2 Was passt zusammen? Lesen Sie die Sätze und sortieren Sie.

Dialog 1

1 Was machst du denn heute Abend? *d*
2 Das kannst du doch immer machen. Ich will heute in die Disco gehen. ___
3 Wollen wir zusammen essen gehen? ___
4 Soll ich dich abholen? ___

a) Ja, das ist eine gute Idee.
b) Ach nein, dazu habe ich keine Lust. Ich möchte heute nicht tanzen gehen.
c) Ja. Du kannst ja unten klingeln.
d) Ich will ein bisschen lesen und fernsehen.

Dialog 2

1 Ist der Chef schon da? ___
2 Ich habe für Samstag zwei Karten für den Tigerpalast. Möchten Sie mitkommen? ___
3 Wir können auch erst um elf gehen. Da gibt es noch eine Spätvorstellung. ___
4 Darf ich Sie denn wieder einmal fragen? ___

a) Am Samstag kann ich nicht. Ich muss am Wochenende zu Hause bleiben und packen.
b) Klar. Fragen kostet nichts.
c) Nein, nein, vielen Dank, das ist mir einfach zu viel. Am Samstagabend möchte ich nicht ausgehen.
d) Nein, der kommt heute erst um elf. Soll ich ihm etwas ausrichten?

Dialog 3

1 Ich will Karten für das Konzert am Samstag kaufen. Willst du mitkommen? ___
2 Ich will am Samstag mit Miriam ins Konzert gehen. ___
3 Mist, ich darf nicht mitkommen. Ich muss für die Mathearbeit lernen. ___
4 Ich kann doch auch am Sonntag noch für die Mathearbeit lernen. ___
5 Miriam, ich darf doch mitkommen. ___

a) Du kannst doch auch am Sonntag lernen.
b) Na klar. Ich muss aber erst noch meine Eltern fragen.
c) Na gut, dann geh halt. Aber spätestens um elf bist du wieder zu Hause!
d) Nein, das geht nicht. Du musst am Wochenende lernen! Ihr könnt ja ein anderes Mal ins Konzert gehen.
e) Super! Dann gehe ich gleich los. Soll ich dir auch eine Karte besorgen?

Hören Sie noch einmal und vergleichen Sie.

C 3 Was passt wo? Suchen Sie für jede Gruppe zwei Sätze aus C 2 und markieren Sie die Modalverben.

Wunsch
Modalverben
wollen,
möchten
Ich **will** mit Miriam ins Konzert gehen.
TOTE HOSEN
MATHE
Ich **muss** für die Mathearbeit lernen.
Notwendigkeit
Modalverb
müssen
Ich **kann** doch auch am Sonntag lernen.
Möglichkeit
Modalverb
können
SAMSTAG
SONNTAG
FREI
FREI
Miriam, ich **darf** mitkommen.
Miriam, ich **darf nicht** mitkommen.
Erlaubnis
Modalverb
dürfen
Verbot
Modalverb
nicht dürfen
Jan **will** mit mir ins Konzert gehen. Ich kann ihm eine Karte kaufen. Will er das?
Soll ich dir auch eine Karte besorgen?
Angebot/
Vorschlag
Modalverb
sollen

C 4 Ergänzen Sie Sätze aus C 2.

		Verb 1 (Modalverb)			Verb 2 (Infinitiv)
1	*Ich*	*möchte*	*heute*	*nicht*	*tanzen.*
2		*Wollen*	*wir zusammen*		*essen gehen?*
3					
4					
5					
6					
7					
8					

Jetzt ergänzen Sie die Regel.

! Position 1 ◆ am Ende ◆ Position 2 ◆ zwei

Sätze mit Modalverben haben fast immer __________ Verben *.
Das Modalverb steht auf __________ oder auf __________ ,
das Verb im Infinitiv** steht __________ .

(* Ausnahmen: Ich möchte ein Bier. / Am Samstag kann ich nicht.)
(** Infinitiv: Diese Verbform steht immer im Wörterbuch.)

ARBEITSBUCH 13–17

C 5 **Arbeiten Sie zu zweit, wählen Sie eine Situation und spielen Sie den Dialog.**

1. Sie möchten mit einem Freund ins Theater gehen. Aber Ihr Freund möchte essen gehen.
2. Sie möchten mit einer Freundin in die Disco gehen. Sie sagt, sie muss Deutsch lernen.
3. Sie möchten zu Hause bleiben und lesen. Eine Freundin ruft an und möchte mit Ihnen Tennis spielen.
4. Sie möchten mit einem Freund zum Fußballspiel gehen. Aber er muss am Wochenende arbeiten.
5. Ein Freund möchte mit Ihnen zum Eishockeyspiel gehen. Sie haben Zeit, aber Sie finden Eishockey langweilig.
6. Ihr Sohn möchte in die Disco gehen. Sie meinen: Er muss für die Englischarbeit lernen.

D Zwischen den Zeilen

D 1 **Was passt wo? Ergänzen Sie.**

~~immer~~ ◆ manchmal ◆ meistens ◆ ~~nie~~ ◆ oft ◆ selten ◆ ~~nicht oft~~ ◆ ~~fast immer~~ ◆ fast nie ◆ ~~sehr oft~~

immer ______ ______ ______ ______ *nie*

fast immer ______

sehr oft *nicht oft*

D 2 **Was machen Sie wie oft? Machen Sie Notizen.**

am Wochenende arbeiten ◆ nachts arbeiten ◆ Stress haben ◆ ins Kino / Museum / … gehen ◆ Musik hören ◆ in die Disco / … gehen ◆ zum Flohmarkt / Fußball / … gehen ◆ lesen ◆ tanzen / essen / … gehen ◆ Gitarre / … spielen ◆ …

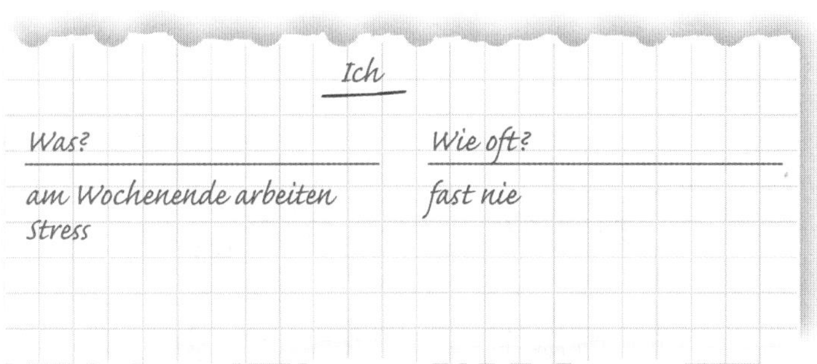

Ich
Was?
Wie oft?
am Wochenende arbeiten
fast nie
Stress

Interviewen Sie Ihre Partnerin oder Ihren Partner und machen Sie Notizen.

- ● *Musst du manchmal am Wochenende arbeiten?* ↗
- ■ *Ich bin Hausfrau,* → *da muss ich immer arbeiten.* ↘
- ● *Gehst du oft essen?* ↗
- ■ *Nein,* → *nur selten,* → *vielleicht dreimal oder viermal im Jahr.* ↘ *Meistens essen wir zu Hause.* ↘
- ● …

Meine Partnerin

Was?	*Wie oft?*
am Wochenende arbeiten	*immer (Hausfrau)*
essen gehen	*nur selten (meistens zu Hause)*

einmal am Tag
zweimal in der Woche
dreimal im Monat
viermal im Jahr

Berichten Sie über Ihre Partnerin oder Ihren Partner.

ARBEITSBUCH 18–20

E Wann genau?

E 1 Ergänzen Sie die fehlenden Monate.

ARBEITSBUCH 21

April ◆ August ◆ Februar ◆ Juli ◆ November ◆ Oktober

der Frühling
März
______
Mai

der Sommer
Juni
______
______

der Winter
Dezember
Januar
______

der Herbst
September
______
______

In Deutschland beginnt das neue Jahr am 1. Januar.

Wann ist wo Sommer, ... ? Wann beginnt das neue Jahr?

● *In Chile ist im Dezember, → Januar → und Februar Sommer.* ↘
Das neue Jahr beginnt im Januar ↘ – wie in Deutschland. ↘

■ ...

E 2 Wann haben Sie Geburtstag? Fragen Sie in der Gruppe und machen Sie eine „Monatsschlange".

● *Ich habe im Januar Geburtstag.*

■ *Und ich im März.*

● *Dann komme ich nach dir.*
Ich habe im Juni Geburtstag.

▲ *Ich habe im August Geburtstag.*

▼ *Dann kommst du vor mir.*
Ich habe erst im September Geburtstag.

E 3 Machen Sie eine Geburtstagsliste für den Kurs.

● *Wann hast du Geburtstag?* ↘

■ *Am siebten Juli.* ↘ *Und du?* ↗

▲ *Wann haben Sie Geburtstag?* ↘

▼ *Am fünfzehnten August.* ↘ *Und Sie?* ↗

Die Ordinalzahlen

1–19: **-te**		ab 20: **-ste**
1. der **erste**	7. der **siebte**	20. der zwanzig**ste**
2. der zwei**te**	8. der ach**te**	22. der zweiundzwanzig**ste**
3. der **dritte**	10. der zehn**te**	...
4. der vier**te**	...	31. der einunddreißig**ste**
	19. der neunzehn**te**	

Man schreibt:
geb. 7.7. 1986

Man sagt:
Er hat **am siebten** Juli Geburtstag.
Er ist **am siebten** Juli (neunzehnhundert)sechsundachtzig geboren.

ARBEITSBUCH 22–23

E 4 Was meinen Sie? Was für Berufe passen zu diesen Kalendern? Ergänzen Sie.

Kalender	Beruf
A	
B	

Zeitangaben

Sie hat **im Juli** Urlaub.	|<--->|	**im** + Monat
Am 5. August hat sie ein Interview.	•	**am** + Datum
Sie ist **ab 24. August** in Graz.	•—>	**ab** + Datum
Sie ist **bis (zum) 31. August** in Graz.	—>•	**bis (zum)** + Datum
Sie ist **vom 24. bis 31. August** in Graz.	•<—>•	**vom ... bis (zum)** ...+ Daten
Sie hat **von Montag bis Mittwoch** Proben.	•<—>•	**von ... bis** + Tage
Der Termin beim ZDF ist **von 10 bis 12 Uhr.**	•<—>•	**von ... bis** + Uhrzeiten

A

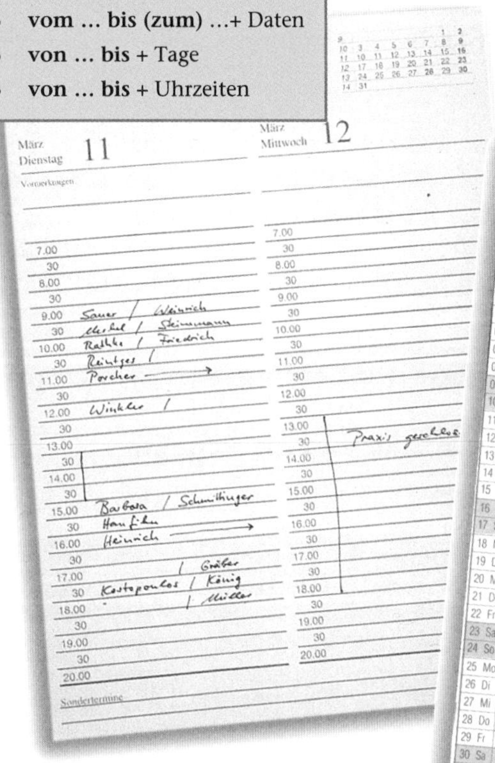

B

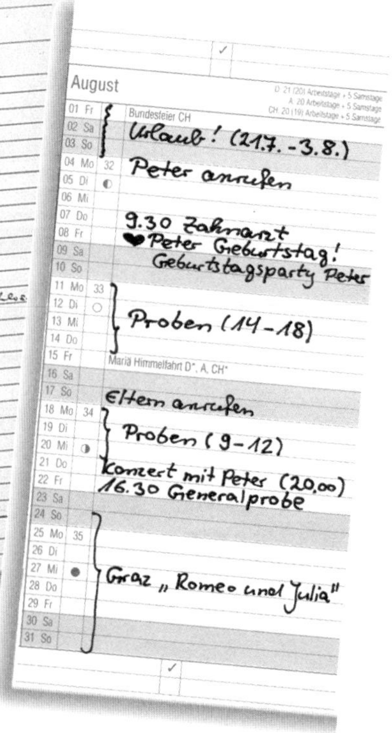

E 5 Hören Sie und ergänzen Sie die passenden Zeitangaben.

9-10

1 Praxis Dr. Stefanidis

~~elften~~ ◆ halb zwölf ◆ 10.45 ◆ zwölften ◆ nächste Woche ◆ 11. März ◆ Viertel vor zehn ◆ 11.30

● Praxis Dr. Stefanidis, guten Tag.
■ Guten Tag. Hier ist Schneider. Ich möchte gern einen Termin für ________________ .
● Wann können Sie denn kommen?
■ Am *elften* oder ________________ , möglichst am Vormittag.
● Am ________________ um ________________ Uhr?
■ Geht es vielleicht etwas später? Um ________________ kann ich nicht.
● Sie können auch um ________________ Uhr kommen.
■ Ja, das passt gut. Also dann am nächsten Dienstag um ________________ , vielen Dank.
● Bitte, auf Wiederhören.
■ Wiederhören.

jetzt gleich ◆ 6. März ◆ heute ◆ zwei Tage ◆ heute Nachmittag ◆ 15.30

● Praxis Dr. Stefanidis, guten Tag.
▲ Guten Tag, mein Name ist Kreindl. Ich brauche dringend einen Termin.
● Moment. Geht es am ________________ um ________________ Uhr?
▲ Das sind ja noch ________________ . Nein, so lange kann ich nicht warten. Ich muss unbedingt ________________ noch vorbeikommen, ich habe große Schmerzen.
● Ja, möchten Sie jetzt gleich kommen? Aber Sie müssen bestimmt etwas warten, wir haben viel Betrieb. Oder Sie kommen ________________ .
▲ Nein, ich komme ________________ . Vielen Dank. Wiederhören.
● Auf Wiederhören.

2 Der Umzug

~~1. September~~ ◆ Samstag ◆ August ◆ Freitagabend ◆ neun ◆ 25. August ◆ September ◆ zehn ◆ sechsten ◆ 24. ◆ 31. August

● Wir haben endlich eine neue Wohnung.
■ Und wann könnt ihr einziehen?
● Am *1. September* . Aber wir können schon Ende ______________ renovieren. Es ist nicht viel Arbeit, wir müssen nur die Zimmer streichen. Sag mal, kannst du uns vielleicht beim Streichen helfen?
■ Natürlich. Wann wollt ihr renovieren?
● Etwa ab ______________________ .
■ Oh, das ist aber dumm. Da bin ich ja gar nicht in Frankfurt. Vom ________ bis ______________________ bin ich in Graz.
● Schade, aber da kann man nichts machen. Und wie sieht's Anfang ______________ aus? Kannst du uns vielleicht beim Umzug helfen?
■ Wann denn?
● Am ______________ , das ist ein ______________ .
■ Ja, da habe ich Zeit. Wann soll ich denn kommen?
● So um ________ ? ... Ja, ja, ich weiß: Du willst immer gerne ausschlafen. Du kannst natürlich auch später kommen.
■ Ja, ich habe am ______________________ Vorstellung. Ich komme so um ______________ .
● Das ist lieb, danke. Du, ich muss jetzt Schluss machen. Peter ist da, wir wollen noch mal in die neue Wohnung gehen.

Lesen Sie die Dialoge noch einmal und unterstreichen Sie alle Modalverben.

E 6 Ergänzen Sie die Tabelle und die Regeln.

Modalverben

	können	müssen	wollen	sollen	dürfen	möchten
ich			*will*			
du		*musst*		*sollst*		
sie / er / es, man		*muss*	*will*		*darf*	*möchte*
wir					*dürfen*	
ihr		*müsst*			*dürft*	*möchtet*
sie	*können*		*wollen*	*sollen*		
Sie						

!

1 Modalverben mit Vokalwechsel:

Singular	Plural
kann,	
muss, musst	*müssen, müsst*
will,	
darf,	

2 Modalverben haben die gleiche Endung:
ich ________ und ________ (Singular)
wir ________ und ________ (Plural)

3 Modalverben haben keine Verb-Endung bei „ich" und „sie / er / es". **Ausnahme:**
____

ARBEITSBUCH 24–27

E 7 Arbeiten Sie zu zweit und machen Sie Dialoge.

ein Termin ...	beim Arzt ◆	beim Friseur ◆	mit dem Chef ◆	...
Hilfe ...	beim Umzug ◆	beim Renovieren ◆	beim Lernen ◆	...
eine Verabredung ...	zum Tennis ◆	in die Disco ◆	zum Einkaufsbummel ◆	...

F Der Ton macht die Musik

11

Freizeitstomp

Es ist vier Uhr. Und du willst nur
noch eines: raus! Du willst nach Haus.
Die Arbeit ist vorbei, jetzt hast du endlich frei.
Du willst nach Haus.

Es ist soweit. Jetzt hast du Zeit.
Da klingelt schon das Telefon:
„Ich möchte gern mit dir ...“ „Willst du heut' mit mir ...“
Die Freizeit, die Freizeit ruft.

Du kannst ins Kino, ins Theater, in die Disco gehen.
Du kannst lesen, joggen und mit Freunden essen gehen.
Du kannst Tennis spielen, schwimmen und zum Fußballspiel mit Franz.
Mit Klaus und Inge Karten spielen, ins Konzert mit Hans.
Jetzt darfst du alles tun, da kannst du doch nicht ruh'n.
Die Freizeit, die Freizeit ist schön.

Der Wecker klingelt, du musst raus,
um sieben gehst du aus dem Haus.
Die Arbeit ruft, du bist kaputt,
der Freizeitstress tut dir nicht gut,
der Tag ist lang, und dann ...

Es ist vier Uhr. Und du willst nur
noch eines: raus! Du willst nach Haus.
Die Arbeit ist vorbei, jetzt hast du endlich frei.
Du willst nach Haus.

ARBEITSBUCH 28–31

Cartoon

G **Kurz & bündig**

Orts- und Zeitangaben § 21, 23, 24

Wo?	Wo wohnen Sie?	**In** Köln.
	Wo studiert Ihre Tochter?	**In** Frankreich.
	Und wo arbeiten Sie?	Ich arbeite **bei** Müller & Co.
	Journalisten arbeiten **bei der** Zeitung.	Oder **beim** Fernsehen.
	Ärzte arbeiten **im** Krankenhaus.	Oder **in der** eigenen Praxis.
Wohin?	Gehst du am Samstag mit mir **ins** Kino?	Nein, da gehe ich **zum** Fußball.
	Gehen wir morgen **zur** Musikmesse?	Okay. Und abends gehen wir **in die** Disco.
Wann?	Wann hast du Geburtstag?	**Am 15. August.**
	Wann sind Sie geboren?	**Am 28. Juni 1972.**
	Wann machen Sie Urlaub?	**Im Juli.**
	Wann sind Sie in Graz?	**Vom 24. bis zum 31. August.**
	Wann ist das Interview?	**Am Dienstagvormittag.**
	Um wie viel Uhr?	**Um 11 Uhr.**
	Wann haben Sie Deutschunterricht?	Jeden Tag **von 9 bis 12 Uhr.**
Wie oft?	Ich gehe **oft** ins Kino, aber **fast nie** ins Theater.	Ich gehe nur **selten** ins Kino.
	Am Wochenende besuche ich **immer** Freunde.	Da muss ich **fast immer** arbeiten.
	Wir gehen **manchmal** essen, aber **meistens** essen wir zu Hause.	

Die Uhrzeit § 30

(genau) sieben (Uhr), **kurz nach** sieben, **fünf nach** sieben, **zehn nach** sieben, **Viertel nach** sieben, **zwanzig nach** sieben / **fünf vor halb** acht, **kurz vor halb** acht / **gleich halb** acht, **halb** acht, **kurz nach halb** acht, **fünf nach halb** acht / **zwanzig vor** acht, **Viertel vor** acht, **zehn vor** acht, **fünf vor** acht, **kurz vor** acht / **gleich** acht, (genau) acht (Uhr)

Die Ordinalzahlen § 28, 30

der **erste**, der zwei**te**, der **dritte**, der vier**te**, der **siebte**, der ach**te**, der neun**te**, der zehn**te**, der zwanzig**ste**, der dreißig**ste** … Oktober

Heute ist **der** fünfzehn**te** August. Ich habe **am** fünfzehnte**n** August Geburtstag.

Die Modalverben (Präsens) § 10

Eine Ärztin **kann** den Menschen helfen.	Aber sie **muss** oft rund um die Uhr arbeiten.
Ich **will** am Samstag ins Konzert gehen.	Nein, das geht nicht. Du **musst** lernen.
Ich **darf** nicht mitkommen. Ich **muss** lernen.	Du **kannst** doch auch am Sonntag lernen.
Wollen wir zusammen essen gehen?	Ja. **Soll** ich dich abholen?
Ich **möchte** einen Termin für nächste Woche.	Wann **können** Sie denn kommen?

Nützliche Ausdrücke

Wie viel Uhr ist es, bitte? ↘	**Kurz vor** halb fünf. ↘ / **Gleich** halb fünf. ↘
Entschuldigung, **wie spät ist es?** ↘	**Genau** 16 Uhr 28. ↘
Was machst du denn heute Abend? ↘	**Nichts Besonderes.** ↘ **Vielleicht** lesen. ↘
Gehst du mit mir in die Disco? ↗	**Ja, gerne.** → **Und wann?** ↘
So um acht? ↗	Ja, gut. ↘ **Bis dann.** ↘
Ich **möchte einen Termin** für nächste Woche. ↘	Am 11. März um 10 Uhr 45? ↗
Nein, **da kann ich nicht.** ↘	
Geht es vielleicht etwas später? ↗	Ja, → um 11 Uhr 30. ↘
Ja, das passt gut. ↘ Vielen Dank. ↘	**Auf Wiederhören.** ↘

LEKTION 6

Familie und Haushalt

A Die Familie

A 1 Hören Sie und sortieren Sie die Fotos.

Unsere Bürgermeisterin ☐

Ein glückliches Paar ☐

Hals- und Beinbruch! ☐

Mama ist die Beste. ☐

Familientreffen in Maisach ☐

Die Maisacher Philharmoniker ☐

A 2 **Hören Sie noch einmal und ergänzen Sie die Steckbriefe.**

12

Name	*Annika*
Wohnort	
Alter	
Beruf	*Praktikum*
Hobbys	
anderes	

Name	*Sibylle*
Wohnort	
Alter	
Beruf	
Hobbys	
anderes	

Name	*Rudolf*
Wohnort	*Maisach*
Alter	
Beruf	
Hobbys	
anderes	

Name	*Justus*
Wohnort	
Alter	
Beruf	
Hobbys	*Feuerwehr*
anderes	

Name	*Johanna*
Wohnort	
Alter	
Beruf	
Hobbys	
anderes	

Name	*Sabine*
Wohnort	
Alter	
Beruf	*Bürgermeisterin*
Hobbys	
anderes	

Arbeiten Sie zu dritt oder zu viert und vergleichen Sie.

A 3 **Ergänzen Sie den Stammbaum von Annika Würthner.**

Familie Würthner

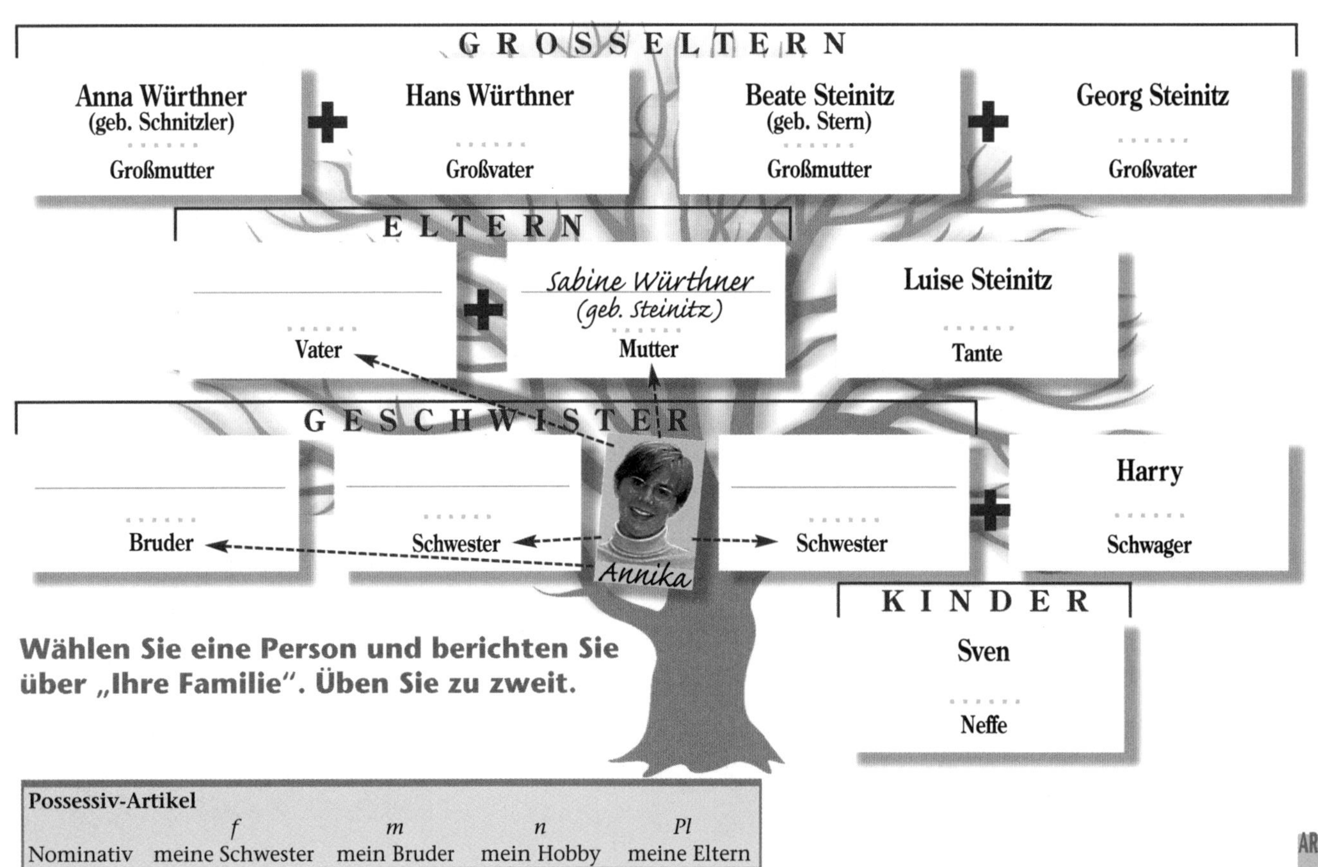

Wählen Sie eine Person und berichten Sie über „Ihre Familie". Üben Sie zu zweit.

Possessiv-Artikel				
	f	*m*	*n*	*Pl*
Nominativ	meine Schwester	mein Bruder	mein Hobby	meine Eltern

ARBEITSBUCH 1–3

A 4 Schreiben Sie den Stammbaum für Ihre Familie.

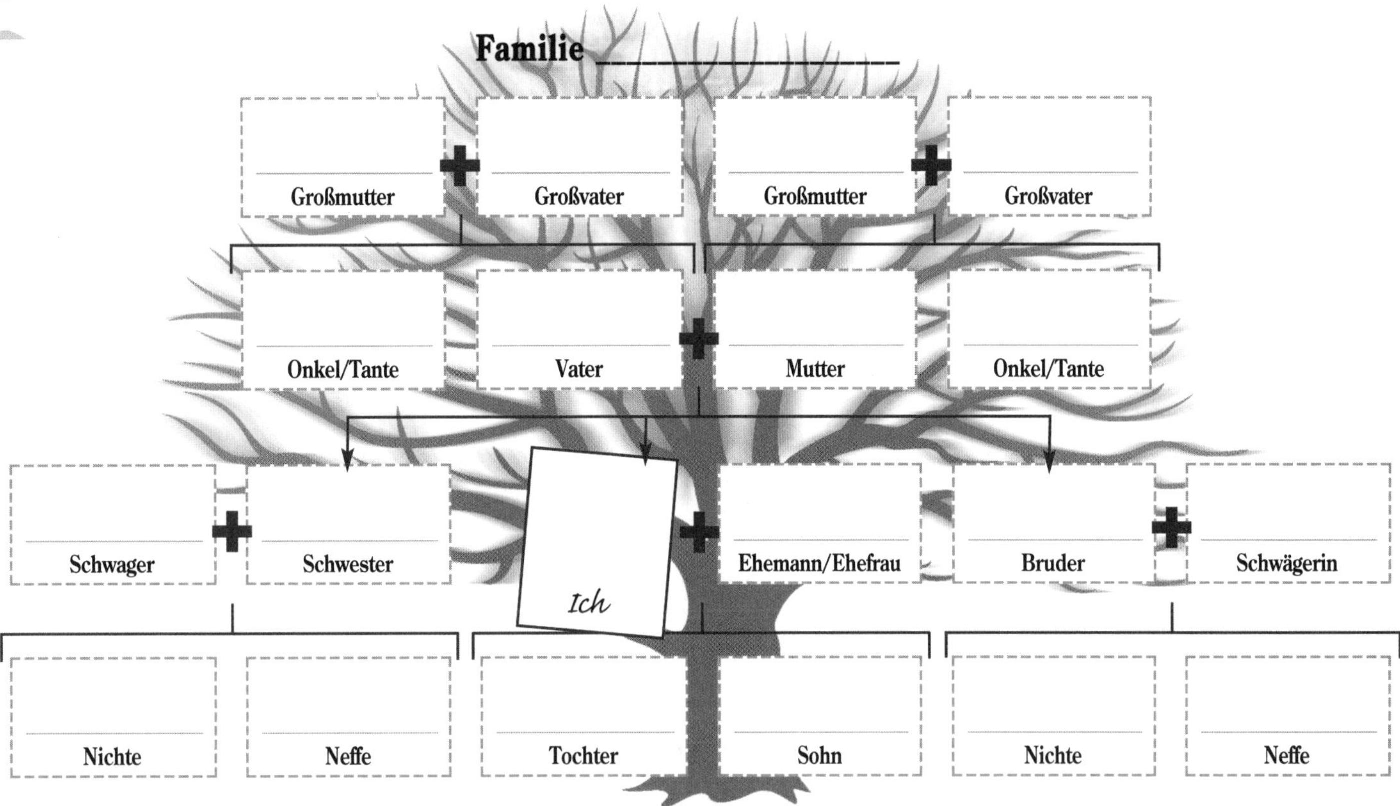

Machen Sie einen Steckbrief für sich und für zwei Familienangehörige.

Name ______	*Name* ______	*Name* ______
Wohnort ______	*Wohnort* ______	*Wohnort* ______
Alter ______	*Alter* ______	*Alter* ______
Beruf ______	*Beruf* ______	*Beruf* ______
Hobbys ______	*Hobbys* ______	*Hobbys* ______
anderes ______	*anderes* ______	*anderes* ______

Arbeiten Sie in Gruppen und stellen Sie sich und Ihre Familie vor.

Ich heiße Deniz Bostan. Ich komme aus der Türkei. Ich bin in Karabük geboren. Meine Eltern kommen beide auch aus Karabük. Sie heißen Aliye und Murat. Meine Mutter ist 48. Mein Vater ist 47 Jahre alt. Ich bin 25. Wir wohnen alle zusammen in Frankfurt. Ich habe noch vier Geschwister. Zwei Brüder und zwei Schwestern …

B Eine Klasse stellt sich vor.

B 1 Lesen Sie einen Text und machen Sie Notizen.

Vera Kaufmann

Vera in 20 Jahren: Sie lebt im Ausland (San Francisco oder Irland), aber sie ist nicht verheiratet und hat keine Kinder. Ihr Beruf: Irgendwas mit Sprachen – vielleicht Journalistin? Ihre Pläne nach dem Abi: Inter-Rail – jobben – danach USA und Australien. Wir fragten: Was nimmst du auf eine einsame Insel mit? „Bücher, mein Schreibzeug und meine Lieblings-CDs!" Was findest du gut an dir? „Ich kann gut zuhören." Was findest du nicht so gut an dir? „Ich kann mich so schwer entscheiden." Wie sieht dein Traummann aus? – „Ach, ich weiß nicht, da gibt's viele ..."

Daniel „Schwede" Becker

Unser „Schwede" – Daniel ist Halbschwede. Am Wochenende spielt Schwede immer Fußball bei seinem Verein (KSC). Außerdem ist er SEHR Internet-begeistert: Er hat seine eigene Homepage. Schwede ist sehr spontan und aktiv. Nach dem Abi will er nach Schweden fahren und seinen Vater besuchen, danach beginnt er sein Studium. Sein Leben in 20 Jahren stellt er sich so vor: Reihenhaus, Mercedes 200 D, Frau und zwei Kinder, KSC-Jahreskarte, Stammtisch.

(Anmerkung der Redaktion: Ist das wirklich dein Ernst?)

Katja Schmidt

Ihr Leben ist der KSC – jedes Wochenende unterstützt sie lautstark ihren Verein. Ihr Markenzeichen ist ihre Haarfarbe – sie wechselt ständig (blond, violett, grün ...). Die wichtigste Rolle in ihrem Leben (außer dem KSC) spielt ihr Freund Pinky. Ihr neuestes Hobby ist Inlineskating. Dein Leben in 20 Jahren? „Ich werde Single sein und Karriere machen – egal in welchem Beruf." Drei Dinge für die Insel: „Mann, Musik, Moskitonetz." Und dein Traummann? „Ich weiß nicht – er muss einfach besonders sein!"

Die 13. Stufe

MUSTER GYMNASIUM

Unser Redaktionsteam präsentiert die Schülerinnen und Schüler der Stufe 13 – ihre Stärken und Schwächen, ihre Hobbys, ihre Träume und ihre Pläne für die Zukunft. Wir fragten:
Was sind eure Pläne für die Zeit nach dem Abi?
Wie sieht euer Leben in 20 Jahren aus?
Welche drei Dinge wollt ihr auf eine einsame Insel mitnehmen?
Wie sieht euer Traummann/eure Traumfrau aus?
Hier die Ergebnisse.

Vera Kaufmann | Daniel Becker | Katja Schmidt | Iris Staudinger | Pero Ovcina | Annette Heckel

Iris „Bevis" Staudinger

Heute in 20 Jahren lebt unsere Bevis mit ihrem Mann und ihren drei Kindern (ein Junge, zwei Mädchen) gerade für ein paar Jahre in Afrika. Sie ist Ärztin: „Da kann man anderen helfen." Mit ihrem Studium lässt sie sich Zeit: Nach dem Abi will sie erst einmal reisen und die Welt sehen, sie ist nämlich sehr aktiv und kontaktfreudig. Für die einsame Insel packt sie ihre Gitarre, ihren Zeichenblock und ihre Lieblingsbücher ein. Ihr Traummann soll groß, humorvoll, ehrlich, kreativ und lieb sein – viel Glück bei der Suche!

Pero Ovcina

Pero ist Bosnier, immer freundlich und hilfsbereit, lebt seit drei Jahren in Deutschland und ist seit zwei Jahren in unserer Klasse. Er kommt nicht oft zum Unterricht, aber er hat trotzdem super Noten. Sein Berufswunsch: Maschinenbauingenieur. Sein Hobby ist Basketball. Sein Leben in 20 Jahren soll vor allem „nicht so anstrengend" sein. Seine Pläne: „Nach dem Abi will ich erst mal sechs Monate gar nichts tun." Seine Traumfrau? Pero genervt: „Hört doch auf mit euren doofen Fragen! Das ist doch meine Sache."

Annette Heckel

Annette ist ruhig, nachdenklich und zurückhaltend – auch bei unserem Interview beantwortet sie unsere Fragen nur zögernd. Annette hat Glück: Sie kann bei ihrer Tante eine Ausbildung in ihrem Traumberuf machen. Deshalb geht sie nach dem Abi nicht auf Reisen, sondern beginnt sofort mit ihrer Ausbildung als Fotografin. Ihre Hobbys sind Reiten, Lesen und Faulenzen. In ihren Träumen ist sie manchmal ein Vogel: frei und mit einer neuen Perspektive – alles von oben sehen. Viel Spaß, Annette, bei deinen Flügen und eine sichere Landung in deinem Traumberuf!

Name	*Eigenschaften*	*Pläne*	*in 20 Jahren*	*Insel*	*Traummann/-frau*

Arbeiten Sie zu dritt und vergleichen Sie Ihre Notizen.

B 2 **Was passt zusammen? Lesen Sie noch einmal und ergänzen Sie.**

Vera
„Ich lebe im Ausland."
„Mein Beruf? Vielleicht Journalistin."

Daniel
„Ich bin ein totaler Internet-Freak."
„Ich habe meine eigene Homepage."

Katja
„Die wichtigste Rolle in meinem Leben spielt Pinky."
„Mein neuestes Hobby ist Inlineskating."

Die Redaktion
Sie lebt im Ausland.
Ihr Beruf? Vielleicht Journalistin.

____________________ .
____________________ .
____________________ .
____________________ .

Personalpronomen	ich	du	sie	er	es/man	wir	ihr	sie	Sie
Possessiv-Artikel (ohne Endung)	___	*dein-*	___	___	___	___	*euer/eur-*	___	*Ihr-*

B 3 **Unterstreichen Sie in Ihrem Text alle Nomen mit Possessiv-Artikeln und ergänzen Sie die Tabelle.**

	f	*m*	*n*	*Pl*
Nom	*unsere* Iris ___ Haarfarbe ___ Sache	*ihr* Beruf ___ Traummann ___ Freund	___ Leben ___ Hobby	*ihre* Pläne ___ Hobbys
Endung	*-e*	*- –*	*- –*	*-e*
Akk	___ Homepage ___ Gitarre	___ Vater ___ Verein	*mein* Schreibzeug ___ Studium	*meine* Lieblings-CDs ___ Fragen
Endung	*-*	*-*	*- –*	*-e*
Dat	bei ___ Tante mit ___ Ausbildung in ___ Klasse	bei ___ Verein mit ___ Mann in ___ Traumberuf	bei ___ Interview mit ___ Studium in ___ Leben	bei ___ Flügen mit ___ Fragen in ___ Träumen
Endung	*-*	*-*	*-*	*-*

! andere Artikel ◆ *euer* ◆ negative Artikel *(kein-)* ◆ links vom Nomen ◆ *eur-*

1 Possessiv-Artikel ersetzen ________________ .
2 Possessiv-Artikel stehen ________________ .
3 Possessiv-Artikel funktionieren wie ________________ .
4 Der Possessiv-Artikel „euer": ohne Endung ________ , mit Endung ________ .

Tauschen Sie die Ergebnisse in der Gruppe und ergänzen Sie.

PROJEKT

Machen Sie eine Kurszeitung!
Überlegen Sie gemeinsam im Kurs: Welche Rubriken kann die Zeitung haben, z.B. kleine Geschichten, Witze und Cartoons aus verschiedenen Ländern, „Wir über uns" ... ? Machen Sie einen Plan: Wie viele Seiten soll die Zeitung haben? Welchen Titel hat sie? Wann ist Redaktionsschluss? Wer macht Fotos? Wer macht die Zeichnungen? Wie sieht die erste Seite aus? Bilden Sie im Kurs kleine Redaktionsteams zu den verschiedenen Rubriken: Die Redaktionsteams sammeln alle Texte, die in der Klasse oder zu Hause geschrieben werden, wählen aus, korrigieren und ergänzen.

B 4  **Machen Sie eine Klassenzeitung für Ihren Deutschkurs.**

Arbeiten Sie zu zweit und schreiben Sie eine Liste mit Fragen.

Wie lange lernst du schon Deutsch?
Warum lernst du Deutsch?
Was sind deine Pläne für die Zukunft?
Welche drei Dinge nimmst du auf eine einsame Insel mit?
Wie sieht dein Traummann / deine Traumfrau aus?
...

Interviewen Sie andere Kursteilnehmer und machen Sie Notizen.

■ *Warum lernst du Deutsch?*
● *Ich brauche Deutsch für meine Arbeit.*
■ *Was bist du von Beruf?*
● *Ich arbeite im Reisebüro.*

Arbeiten Sie zu viert und schreiben Sie kleine Artikel.

Diana ist 25 Jahre alt. Sie lernt seit sechs Monaten Deutsch. Sie arbeitet im Reisebüro und braucht Deutsch für ihre Arbeit. Diana ist verheiratet, aber sie hat noch keine Kinder. Ihre Pläne für die Zukunft: Sie möchte ...

ARBEITSBUCH 11–15

C Hausfrauen – rund um die Uhr im Einsatz

C 1 Was passt wo? Ergänzen Sie.

die Kinder von der Schule abholen ◆ staubsaugen ◆ die Wäsche aufhängen ◆ den Mülleimer ausleeren ◆ einkaufen ◆ Pause machen ◆ ~~aufstehen~~ ◆ aufräumen ◆ Frühstück machen ◆ bügeln ◆ (das) Geschirr abwaschen und abtrocknen ◆ kochen

C 2 Was machen Sie im Haushalt gern? Nicht so gern?

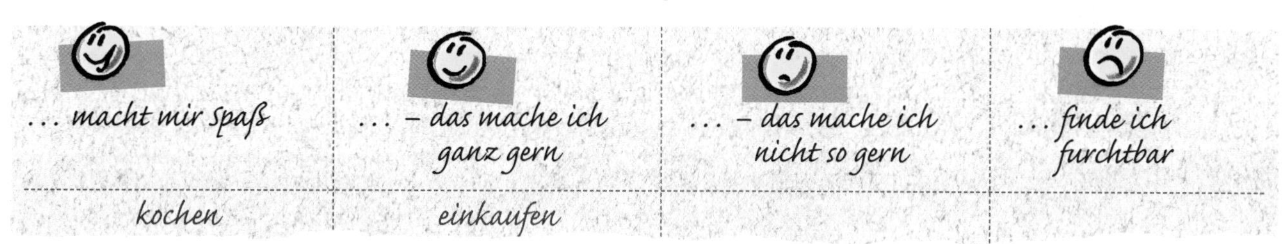

... macht mir Spaß	... – das mache ich ganz gern	... – das mache ich nicht so gern	... finde ich furchtbar
kochen	einkaufen		

Arbeiten Sie zu viert und sprechen Sie über Hausarbeiten.

■ *Kochen macht mir Spaß.* ↘
● *Das mache ich auch ganz gern.* ↘
▲ *Was?* ↗ *Kochen finde ich furchtbar.* ↘ *Das ist doch total langweilig.* ↘
▼ *Stimmt,* → *das mache ich auch nicht so gern.* ↘ *Aber Einkaufen* → *– das mache ich ganz gern.* ↘

C 3 **Lesen Sie den Text und markieren Sie.**

		richtig	falsch
1	Frau Jansen hat heute einen besonders anstrengenden Tag.		
2	Sie steht um halb sieben auf.		
3	Ihr Mann macht das Frühstück.		
4	Sarah hilft Frau Jansen bei den Arbeiten im Haushalt.		
5	Nach dem Mittagessen schläft Frau Jansen heute eine halbe Stunde.		
6	Herr Jansen ist heute nicht zum Abendessen zu Hause.		
7	Herr und Frau Jansen lesen am Abend zusammen Geschichten.		
8	Herr Jansen muss Sarah heute Nacht den Tee geben.		

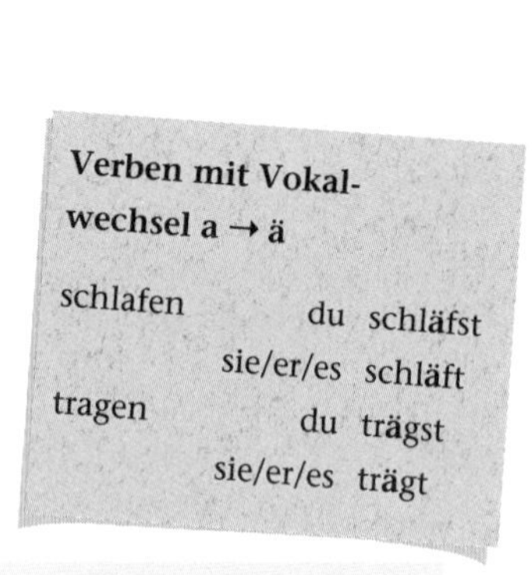

Verben mit Vokalwechsel a → ä

schlafen	du	schläfst
	sie/er/es	schläft
tragen	du	trägst
	sie/er/es	trägt

Ein ganz normaler Tag
im Leben von Helga Jansen

Verheiratet mit Thomas, Mutter von Nina (9), Anna (6) und Sarah (18 Monate)

6.30 Der Wecker klingelt. Frau Jansen muss aufstehen und Nina und ihren Mann wecken. Dann duscht sie und zieht sich an. Thomas steht auf und macht das Frühstück.

7.00 Anna ist schon wach. Sie sitzt mit den anderen am Frühstückstisch. Helga Jansen macht Pausenbrote. Das Baby quengelt.

7.30 Nina muss sich beeilen, die Schule beginnt um 7.55 Uhr: tschüs – Küsschen. Dann machen Helga und Thomas ein Tages- und Abendprogramm: Wer kommt wann? Wer muss wann wohin?

7.45 Thomas geht ins Büro. Helga Jansen wickelt Sarah und füttert sie. Dann räumt sie die Küche auf, macht die Betten, legt die Wäsche in die Waschmaschine und macht die Maschine an.

9.00 Helga bringt Anna mit dem Fahrrad in den Kindergarten: Sarah sitzt vorne, Anna hinten.

9.30 Frau Jansen stellt das Fahrrad zu Hause ab und nimmt das Auto. Sie muss Lebensmittel für die ganze Woche einkaufen und zur Bank gehen – natürlich mit Sarah.

11.10 Wieder zu Hause. Nina steht schon vor der Tür. Frau Jansen bringt erst mal die schlafende Sarah in die Wohnung. Dann trägt sie die Einkäufe in den dritten Stock, hängt schnell die Wäsche auf und macht das Mittagessen.

12.30 Frau Jansen holt Anna vom Kindergarten ab – natürlich mit Sarah. Zu Hause dann Babyprogramm: wickeln, füttern, ab ins Bett.

13.15 Das Mittagessen ist fertig. Die Kinder erzählen von der Schule, Helga hört nur halb zu: Sie denkt schon an den Nachmittag. Es klingelt: Zwei Schulfreundinnen wollen Nina zum Spielen abholen. Anna will mitgehen – endlich Ruhe.

13.45 Sie versucht eine halbe Stunde zu schlafen. Keine Chance: Die Kinder klingeln ständig – also zurück an die Arbeit! Die Küche sieht schlimm aus: Frau Jansen muss die Küche aufräumen und spülen.

14.45 Nina macht Hausaufgaben. Frau Jansen bringt Anna mit dem Fahrrad zum Tanzunterricht. Um vier fahren alle zum Spielplatz.

18.00 Wieder zu Hause – Babyprogramm. Gleichzeitig muss Frau Jansen das Abendessen machen. Thomas ruft an, er kommt erst spät nach Hause.

19.00 Sarah schläft. Die anderen essen jetzt zu Abend – ohne Thomas.

20.00 Die beiden Großen gehen zu Bett: Helga Jansen spricht mit den Kindern über den Tag. Dann liest sie ihren Töchtern noch eine Geschichte vor.

20.30 Helga macht das Licht im Kinderzimmer aus. Sie hängt die Wäsche ab und legt sie zusammen.

21.15 Endlich fertig. Frau Jansen trinkt mit ihrem Mann ein Glas Wein und spricht mit ihm über den Tag.

23.30 Thomas und Helga Jansen gehen zu Bett. Sie wissen: Zwischen zwei und vier wird Sarah schreien und braucht einen Tee. Den „Nachtdienst" machen beide abwechselnd. Heute ist Donnerstag: Frau Jansen kann liegen bleiben – Thomas muss aufstehen.

C 4 **Lesen Sie den Text noch einmal. Suchen und markieren Sie dabei folgende Verben.**

~~aufstehen~~ ▶ ~~anziehen~~ ▶ ~~aufstehen~~ ▶ ~~beeilen~~ ▶ ~~beginnen~~ ▶ aufräumen ▶ anmachen ▶ abstellen ▶ einkaufen ▶ aufhängen ▶ abholen ▶ erzählen ▶ zuhören ▶ abholen ▶ mitgehen ▶ versuchen ▶ aussehen ▶ aufräumen ▶ anrufen ▶ vorlesen ▶ ausmachen ▶ abhängen ▶ zusammenlegen ▶ aufstehen

C 5 **Ergänzen Sie passende Sätze aus C 3 und die Regel.**

		Verb 1		Verb 2 Vorsilbe
1	*Sie*	*zieht*	*sich*	*an.*
2				
3				
4				
5				
6				

! Trennbare Verben

1 Im Deutschen gibt es viele Verben mit Vorsilben. Die meisten Vorsilben sind trennbar, z.B. *einkaufen, abholen,* ____________
Im Satz steht das Verb auf Position ______ und die trennbare Vorsilbe ____________ .

2 Vergleichen Sie: Frau Jansen **räumt** die Küche **auf.**
Frau Jansen **muss** die Küche **aufräumen.**

In Sätzen mit Modalverben steht ____________ auf Position 2 und das Verb im Infinitiv ____________ .

3 Einige Vorsilben (er-, be-, ver- …) kann man nicht vom Verb trennen, z.B. *beeilen, beginnen,* ____________

Das Verb „einkaufen" ist trenn**bar**.
→ Das Verb **kann man** trennen.

ARBEITSBUCH 16–18

C 6 **Hören Sie und markieren Sie den Wortakzent.**

13

einkaufen ◆ bestellen ◆ abholen ◆ auspacken ◆ erzählen ◆ zuhören ◆ ergänzen ◆ verstehen ◆ aufpassen ◆ vergessen ◆ anfangen ◆ beginnen ◆ aussehen ◆ vorstellen ◆ aufräumen

Sortieren Sie die Verben.

1 ●•• *einkaufen,* ____________
2 •●• *bestellen,* ____________

Hören und vergleichen Sie. Ergänzen Sie die Regel.

! Trennbare Verben: Wortakzent ____________ .
Nicht-trennbare Verben: Wortakzent ____________ .

ARBEITSBUCH 19–20

C 7 **Sprechen Sie über einen ganz normalen Tag in Ihrem Leben.**

D Der Ton macht die Musik

D 1 Was passt wo? Lesen und ergänzen Sie.

Bett ◆ Betten ◆ Brötchen ◆ Bügeln ◆ Essen ◆ Fenster ◆ Kaffee ◆ Kuchen ◆ Mülleimer ◆ Supermarkt ◆ Wäsche ◆ Wecker

Haushalts-Blues

Der __________ klingelt, es ist gleich sechs,
ich muss raus – du bleibst liegen im __________ .
Ich hol' die ________________ . Jetzt steh endlich auf!
Der __________ kocht – ja, was denn noch?
Wie hättest du's denn gern?
Was darf's denn sonst noch sein?

Ich mach' die __________ , ich räum' alles auf,
ich saug' die Wohnung, leer' den ___________________ aus,
ich putz' die ________________ , das Bad und das Klo
und deine ________________ wasch' ich sowieso.
Wie hättest du's denn gern?
Was darf's denn sonst noch sein?

Ich backe ________________ , ich wasche ab.
Ich hasse __________ – und mach's doch jeden Tag.
Dann kauf' ich schnell noch im ____________________ ein,
ich koch' das __________ – das muss pünktlich fertig sein.
Wie hättest du's denn gern?
Was darf's denn sonst noch sein?

Du hörst mir nie zu. Okay – ich lass' dich in Ruh'.
Mir stinkt schon lange, was ich Tag für Tag hier tu'.
Ich lass' alles liegen und lass' alles steh'n.
Ich hab' es satt – ich hau' jetzt ab!
Wie hättest du's denn gern?
Was darf's denn sonst noch sein?

Ich hab' es satt! Ich hau' jetzt ab! ...

Hören und vergleichen Sie.

ARBEITSBUCH 21–25

E Erinnerungen

A

B

E 1 Lesen Sie den Text. Welches Bild passt zum Text? Warum?

Die Klavierlehrerin

Ich sehe alles noch ganz deutlich vor meinen Augen. Ich bin zehn Jahre alt und gehe ängstlich die Treppen hinauf. Es ist dunkel im Flur, es riecht nach Essen. Die Wohnungstür ist offen, ich gehe hinein. Peter sitzt noch am Flügel und spielt. Er hat es gut. Seine Stunde ist gleich zu Ende. Meine beginnt erst. Ich sage leise: „Guten Tag!", setze mich in den Sessel und stelle meine Tasche auf den Boden. Der Sessel steht in einer dunklen Ecke direkt neben dem Regal. Über dem Sessel hängen Fotos von ihren Konzerten. Meine Klavierlehrerin ist eine fantastische Pianistin. Sie möchte gerne in einem Orchester spielen, aber es hat bisher nicht geklappt. – So muss sie weiter kleinen unmusikalischen Kindern wie mir Unterricht geben. Sie steht neben mir. Ihr Hund liegt – wie immer – hinter dem Klavier auf seinem Teppich. Ich mag ihn nicht, er stinkt.

Es ist so weit. Ich bin dran. Ich setze mich an den Flügel. Ich packe die Noten aus. Der Hund bellt. Auf dem Klavier zwischen der Vase und der Lampe steht wie immer die weiße Beethoven-Büste. Heute gibt es da noch einen Teller mit Lebkuchenherzen. Es ist Dezember, Weihnachtszeit. Frau Schabowsky bietet mir ein Lebkuchenherz an. Ich mag keine Lebkuchenherzen, aber ich nehme eins. So gewinne ich Zeit. Ich beginne eine Etüde. Sie unterbricht mich: „Nein, so geht das nicht, noch einmal von vorn. Der Rhythmus stimmt nicht." Sie stellt sich hinter meinen Stuhl und schlägt den Takt auf meinen Rücken. Der Hund bellt, meine Hände werden nass. Ich spiele wie in Trance. Der Hund steht auf und legt sich vor das Regal. Die Finger wollen nicht mehr über die Tasten laufen. Ich bleibe hängen, rutsche ab, Katastrophe. Ich spüre den Boden unter meinen Füßen nicht mehr.

Endlich: Es klingelt. Der nächste Schüler kommt. Frau Schabowsky schreibt mir noch schnell ins Heft, dass ich nicht geübt habe, dass meine Mutter mitkommen soll, und dass es so nicht weitergeht. Ich lege das Heft in meine Tasche zwischen die Noten und verabschiede mich. Als ich vor die Tür gehe, laufen mir schon die ersten Tränen über das Gesicht. Die Sonne scheint, es ist ein schöner Tag – eigentlich. Ich habe Angst, nach Hause zu gehen.

Nach 18 Monaten geht es wirklich nicht mehr so weiter. Wir haben großes Glück: Meine Klavierlehrerin geht ans Konservatorium nach Wien. Unsere Qual hat ein Ende.

Lesen Sie den Text noch einmal und markieren Sie alle Ausdrücke mit Präpositionen.

E 2 Ergänzen Sie die passenden Artikel aus E 1 und die Endungen.

	f	m	n	Pl
Wo (Präposition + Dat)	in einer dunklen Ecke zwischen der Vase und der Lampe	im Flur am Flügel über ___ Sessel auf ___ Teppich	neben dem Regal in ___ Orchester hinter ___ Klavier auf ___ Klavier	vor meinen Augen unter ___ Füßen
Endung	-r	-	-	-n
Wohin (Präposition + Akk)	vor die Tür in die Tasche	in den Sessel auf ___ Boden an ___ Flügel hinter ___ Stuhl auf ___ Rücken	vor ___ Regal über ___ Gesicht ans Konservatorium	über die Tasten zwischen ___ Noten
Endung	-e	-	-	-

Ergänzen Sie die Regeln.

! 1 Die Präpositionen ___
sind Wechselpräpositionen: Sie stehen mit ___ (Frage: Wo?) oder ___ (Frage: Wohin?).

2 Die Artikel im Dativ sind ___ *(f)*, ___ *(m + n)* und den /-/ meinen *(Pl)*.

3 Nomen im Dativ Plural haben immer die Endung -n (unter meinen Füße**n**).

E 3 Was passt wo? Ergänzen Sie die Präpositionen.

an ◆ in ◆ auf ◆ über ◆ unter ◆ vor ◆ hinter ◆ neben ◆ zwischen

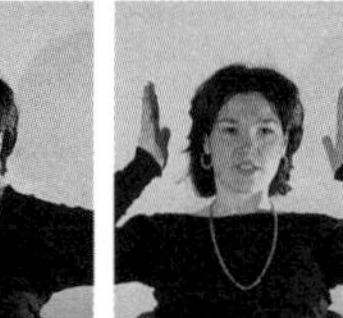

ARBEITSBUCH 26–29

E 4 Finden Sie zehn Unterschiede in den Bildern zu E 1.

E 5 Spielen Sie zu dritt oder zu viert „Verstecken".

Banane *(f)* ◆ Brief *(m)* ◆ CD *(f)* ◆ Führerschein *(m)* ◆ Flugticket *(n)* ◆ Fußball *(m)* ◆ Handy *(n)* ◆ Fotoapparat *(m)* ◆ Kuli *(m)* ◆ Vase *(f)* ◆ Schokoriegel *(m)* ◆ Spielzeugauto *(n)* ◆ Wörterbuch *(n)* ◆ Zeitschrift *(f)*

a) Verstecken Sie fünf Dinge in der Wohnung auf S. 27. Was kommt wohin? Diskutieren Sie und schreiben Sie die Verstecke auf.

Banane – in die Schachtel auf dem Stuhl
Flugticket – hinter das Bild über dem Fernseher
Handy – unter den Teppich vor dem Fernseher …

b) Spielen Sie mit einer anderen Gruppe.

■ *Was ist unter dem Teppich?* ↘
● *Unter welchem Teppich?* ↘
■ *Unter dem Teppich vor dem Fernseher.* ↘
● *Moment!* → *Ein Handy.* ↘

F Zwischen den Zeilen

F 1 Die Konjunktionen „und", „oder" und „aber". Ergänzen Sie die Regeln.

! Sätze ◆ ~~Addition~~ ◆ Kontrast ◆ Satzteile ◆ Alternative ◆ Komma

Konjunktionen verbinden ________________ oder ________________ .

und	…	+	…	= *Addition*
	Ihre Hobbys sind Reiten, Lesen	**und**	Faulenzen.	
oder	…	←|→	…	= ________________
	Sie lebt in San Francisco	**oder**	(sie lebt) in Irland.	
aber		←→		= ________________
	Er kommt nicht oft zum Unterricht,	**aber**	er hat gute Noten.	

Vor „und" und „oder" steht meistens kein ________ , aber vor „aber" steht immer ein ________ .

F 2 Ergänzen Sie die passenden Konjunktionen.

Onkel Albert hat Geburtstag

Eigentlich besuche ich Onkel Albert ganz gern, ________ nicht heute: Heute hat er Geburtstag. Ich habe nichts gegen Geburtstage: Kindergeburtstage finde ich super, ________ meinen Geburtstag finde ich natürlich besonders super, ________ Geburtagsfeiern von Erwachsenen sind einfach schrecklich langweilig ________ anstrengend für uns Kinder. Da sitzen die Erwachsenen den ganzen Tag nur herum ________ essen ________ trinken viel zu viel. Alle haben Zeit, ________ keiner will mit uns spielen. Sie diskutieren lieber über uninteressante Themen wie Politik, Fußball ________ Krankheiten, ________ wir müssen stundenlang still dabei sitzen. Wenn wir dann endlich aufstehen ________ spielen dürfen, heißt es: „Seid doch nicht so laut, ________ wollt ihr dem Onkel den Tag verderben?" Endlich neun Uhr. Sonst müssen wir um diese Zeit ins Bett gehen, ________ heute ist alles anders. Die Eltern bleiben sitzen, trinken, diskutieren ________ streiten. Zehn Uhr. Jetzt singen alle ________ sind furchtbar laut. Wir sind müde ________ möchten nach Hause, ________ das ist ihnen egal …
Wenn ich mal groß bin, dann feiere ich meinen Geburtstag überhaupt nicht ________ ich mache alles ganz anders. Bei mir sollen sich nämlich alle Gäste wohlfühlen, Erwachsene ________ Kinder!

ARBEITSBUCH 30–32

Eberhard Goldmann – sind sie denn auch gewillt, ab und zu den Müll runterzutragen?!

G **Kurz & bündig**

Die Familie

die Großeltern	die Großmutter	der Großvater
die Eltern	die Mutter	der Vater
die Kinder	die Tochter	der Sohn
die Enkelkinder	die Enkeltochter / die Enkelin	der Enkel(sohn)
die Geschwister	die Schwester	der Bruder
andere	die Tante	der Onkel
	die Nichte	der Neffe
die Schwiegereltern	die Schwiegermutter	der Schwiegervater
	die Schwiegertochter	der Schwiegersohn
	die Schwägerin	der Schwager

Possessiv-Artikel § 18

Unser Redaktionsteam präsentiert die Schülerinnen und Schüler der Stufe 13 – **ihre** Hobbys, **ihre** Träume und **ihre** Pläne für die Zukunft.

(Vera)	Was nimmst du auf eine einsame Insel mit? Wie sieht **dein** Traummann aus?	Bücher, **mein** Schreibzeug und **meine** CDs. Ach, ich weiß nicht, da gibt's viele …
(Pero)	**Seine** Traumfrau?	Hört doch auf mit **euren** doofen Fragen!
(Katja)	**Ihr** Leben ist der KSC.	**Ihr** Markenzeichen ist **ihre** Haarfarbe.
(Annette)	Annette ist ruhig und zurückhaltend.	Auch bei **unserem** Interview beantwortet sie **unsere** Fragen nur zögernd.

Trennbare Verben § 8

6.30 Der Wecker klingelt. Frau Jansen muss **aufstehen** und Nina und ihren Mann wecken. Dann duscht sie und **zieht** sich **an**. Thomas **steht auf** und macht das Frühstück.
12.30 Frau Jansen **holt** Anna vom Kindergarten **ab**.

Nicht-trennbare Verben § 8

7.30 Nina muss sich **beeilen**, die Schule **beginnt** um 7.55 Uhr: tschüs – Küsschen.
13.15 Das Mittagessen ist fertig. Die Kinder **erzählen** von der Schule.

Wechselpräpositionen § 22, 23

● Wo?	→ Wohin?
Der Sessel steht **in einer** dunklen Ecke direkt **neben dem** Regal.	Ich setze mich **in den** Sessel und stelle meine Tasche **auf den** Boden.
Ihr Hund liegt – wie immer – **hinter dem** Klavier **auf seinem** Teppich.	Der Hund steht auf und legt sich **vor das** Regal.
Frau Schabowsky steht **neben mir**.	Sie stellt sich **hinter meinen** Stuhl.

Nützliche Ausdrücke

Was findest du gut an dir? ↗
Wie sieht dein Leben **in 20 Jahren** aus? ↘
Ist das wirklich dein Ernst? ↗
Kochen **macht mir Spaß**. ↘

Ich kann gut zuhören. ↘
Ich mache **irgendwas mit** Sprachen. ↘
Na klar. ↘ **Natürlich.** ↘
Das mache ich auch ganz gern. ↘
Was? ↗ Kochen **finde ich** furchtbar. ↘

BERLIN! BERLIN!

„Berlin ist immer eine Reise wert."

A Berliner Sehenswürdigkeiten

A 1 Sprechen Sie über die Fotos.

■ *A ist ein Foto vom Brandenburger Tor in Berlin. Das kenne ich. Da finden oft Veranstaltungen statt. Die sieht man dann im Fernsehen.*

● *Ich glaube, B ist ein Foto vom Karneval. Das ist fast wie bei uns in Brasilien. Alle tanzen und singen auf den Straßen.*

…

A 2 **Lesen Sie die Texte. Welcher Text passt zu welchem Foto?**

ARBEITSBUCH 1

Karneval der Kulturen

☐ Der Karneval der Kulturen ist ein viertägiges Fest zu Pfingsten. Jedes Land stellt sich mit typischem Essen, Tänzen und Musik vor. Der schönste Tag ist der Sonntag, an dem Musiker und Tänzer mit bunten Kostümen durch die Straßen von Kreuzberg ziehen. Beim ersten Umzug 1996 waren 2000 Tänzer und 50 000 Zuschauer dabei. Heute sind es 4200 Tänzer und Musiker aus 80 Ländern. Und mehr als eine halbe Million Menschen kommen auch bei schlechtem Wetter.

Zoologischer Garten

☐ Schon der Eingang in der Budapester Straße mit den zwei Elefanten aus Stein macht den Besucher neugierig auf den Zoo. Der Berliner Zoo war der erste Tierpark in Deutschland und existiert seit 1844. Auf dem 35 Hektar großen Gelände leben heute über 14 000 Tiere von insgesamt 1517 Tierarten.

Berliner Mauer

☐ 28 Jahre war die 160 km lange und 3,60 m hohe Mauer Symbol für die Teilung Deutschlands. Heute findet man nur noch wenige Reste in der Niederkirchnerstraße und in der Bernauer Straße.

Tiergarten

☐ Hinter dem Brandenburger Tor beginnt der größte Park Berlins mit Teichen und Wiesen, dem „Neuen See", mit einem Café sowie vielen Spazierwegen. Im Sommer kommen an den Wochenenden bis zu 10 000 Menschen aus aller Welt in den Tiergarten – ein multikulturelles Erlebnis.

Reichstagsgebäude

☐ Seit September 1999 tagt der Deutsche Bundestag im Reichstagsgebäude. Von der Kuppel aus Glas hat man einen herrlichen Blick auf das Regierungsviertel. Die Kuppel ist täglich von 8 Uhr bis 22 Uhr für Besucher geöffnet.

Brandenburger Tor

A Wahrzeichen der Stadt und Symbol für die Wiedervereinigung von Ost und West ist das Brandenburger Tor. Wer erinnert sich nicht an Dezember 1989: Tausende waren auf der Straße und warteten auf die Öffnung des Tores. Am 22.12.1989 war es endlich so weit. Heute kommen jedes Jahr am 31. Dezember Zehntausende ans Brandenburger Tor und feiern gemeinsam Silvester.

Präteritum von **sein**
(1844, 1989, früher ...)

ich war	wir waren
du warst	ihr wart
sie/er/es/man war	sie/Sie waren

A 3 **Was wissen Sie noch über Berlin?**
Sammeln Sie gemeinsam weitere Informationen.

Lage ◆ Einwohner ◆ Sehenswürdigkeiten ◆ Veranstaltungen ◆ ...

B Entschuldigung, wie komme ich zu …?

ARBEITSBUCH 3

B 1 Suchen Sie die Orte auf dem Stadtplan von Berlin Mitte und ergänzen Sie die Nummern.

- ☐ Brandenburger Tor
- ☐ Deutscher Bundestag
- ☐ Deutscher Dom
- 1 Gemäldegalerie
- ☐ Mauermuseum am Checkpoint Charlie
- ☐ Potsdamer Platz
- ☐ Tiergarten

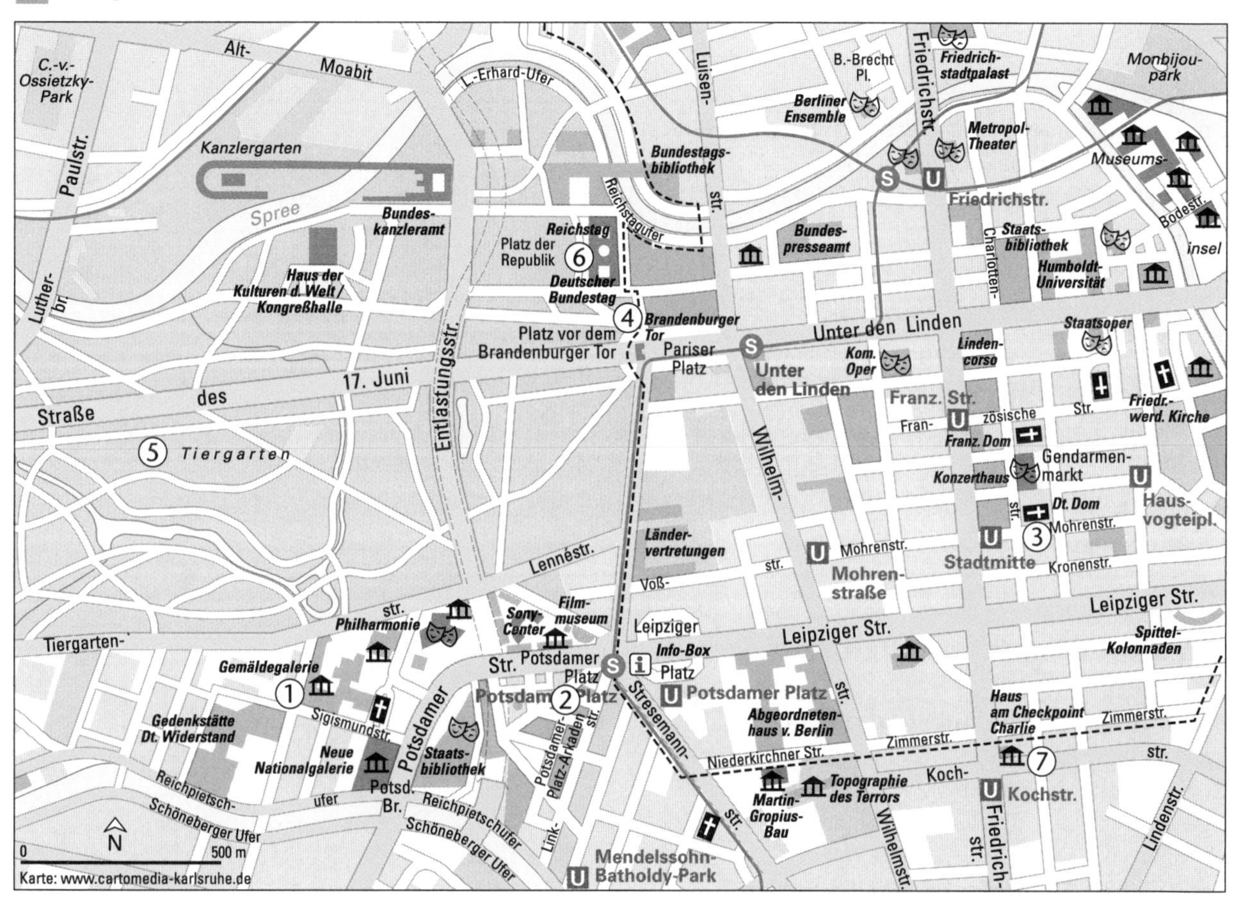

B 2 Hören und ergänzen Sie. Die Leute sind am Potsdamer Platz. Wohin möchten sie? Wie kommen sie an ihr Ziel?

	Wohin?	Wie?
Dialog 1	*zum Mauermuseum Checkpoint Charlie*	*mit der U-Bahn*
Dialog 2		
Dialog 3		
Dialog 4		

ARBEITSBUCH 4–7

mit (+Dativ) Fahrzeug

mit der U-Bahn fahren
mit dem Bus fahren
mit dem Auto fahren
Aber: zu Fuß gehen

B 3 Schreiben und spielen Sie kleine Dialoge. Benutzen Sie den Stadtplan von B 1 und die Redemittel unten.

Jetzt sind Sie am Potsdamer Platz und wollen …

1 zum Tiergarten. (zu Fuß)
2 zum Mauermuseum. (mit dem Auto)
3 zum Deutschen Dom. (mit der U-Bahn)
4 …

Fragen

Entschuldigung,	wie komme ich zur / zum …?
Entschuldigen Sie bitte,	wo ist … / wo finde ich …?
	ich suche … / ich möchte zur / zum …
	gibt es hier in der Nähe eine / einen / ein …?

Antworten

Tut mir leid. Das weiß ich auch nicht. Ich bin fremd hier.
Die / Der / Das … ist ganz in der Nähe.
Das ist weit. Fahren Sie besser / lieber mit der U-Bahn / S-Bahn / mit dem Bus.
Das sind zwei / drei / … Stationen.
Sie müssen an der …straße aussteigen.

Gehen Sie Fahren Sie	(die …straße) immer *geradeaus*, dann die	*erste* *zweite* *nächste*	Straße *links* / *rechts*.

Dann kommen Sie direkt zu …
Auf der linken / rechten Seite sehen Sie / kommt dann schon …

Vielen Dank.
Gern geschehen. / Nichts zu danken. / Bitte.

B 4 Spielen Sie Auskunft. Arbeiten Sie zu zweit.

Sie sind in <u>Ihrer</u> Sprachschule und möchten …
zur Post / Bank / S-Bahn / U-Bahn / …
zum Zoo / Flughafen / Theater / …

ARBEITSBUCH 8

B 5 Was möchten Sie gern in Berlin sehen?

■ *Ich möchte gern mal den Tiergarten sehen.* ↘ *Ich liebe Parks!* ↘
● *Und ich möchte …* ↘

PROJEKT

- Suchen Sie im Internet Fotos und Texte über Berlin, z. B. unter www.Berlin.de, oder über eine andere Stadt, z. B. www.Wien.at oder www.Bern.ch.

Oder:

- Schreiben Sie an die Touristen-Information in Berlin (Wien, Bern) und bitten Sie um Informationsmaterial.
- Berichten Sie dann im Kurs, was Ihnen gut gefällt und was Sie in Berlin (Wien, Bern) gern sehen möchten. Zeigen Sie „Ihre" Fotos.

C Ich hatte heute (k)einen Glückstag!

C 1 Welche Überschrift passt zu welchem Foto? Wählen Sie eine Überschrift und erzählen Sie zu einem Foto eine kleine Geschichte.

Eine neue Stelle in Berlin ◆ Fototermin in Berlin ◆ Alles Gute zum Geburtstag! ◆
Völlig falsch gefahren ◆ Urlaub in Berlin ◆ Ein netter Taxifahrer

C 2 Hören Sie die Dialoge. Welche Überschrift passt?

Dialog 1 ______________________

Dialog 2 ______________________

Dialog 3 ______________________

C 3 Was passt zusammen? Lesen Sie die Sätze und sortieren Sie.

Dialog 1

1 Hallo, Paul. Wo bist du? _d_
2 Das ist ja toll. Gratuliere. Kommst du denn heute Abend noch nach Hause? ____
3 Hast du diese Einzimmerwohnung in Schöneberg genommen? ____
4 Hast du für Silke schon einen Berliner Bären gekauft? ____

a) Nein, da waren zu viele vor mir. Da hatte ich keine Chance mehr. Ich habe das Zimmer in Kreuzberg.
b) Nein, Mama, dafür hatte ich noch keine Zeit.
c) Nein, ich bleibe bis morgen. Weißt du, ich habe nämlich auch schon ein Zimmer. Ich hatte heute echt einen Glückstag.
d) Ich bin noch in Berlin. Du, es hat alles super geklappt. Ich habe die Stelle! Ich habe auch schon ein paar nette Kollegen kennengelernt.

Dialog 2

1 Es ist wunderschön hier in Berlin. Luisa und ich haben schon so viel gesehen. Schade, dass du nicht dabei bist. ____
2 Wir haben dir auch schon eine ganz schöne Postkarte geschickt. ____
3 Und was hast du so gemacht? ____
4 Ach Gott, du Armer. _d_
5 Wir sind den ganzen Tag durch die Stadt gelaufen und jetzt gehen wir schön essen. ____

a) Na, da bin ich aber gespannt.
b) Das nächste Mal komme ich mit.
c) Gute Idee! Ich habe heute nämlich noch nichts Richtiges gegessen.
d) Und was macht ihr heute noch?
e) Ich habe die ganze Zeit gearbeitet.

Dialog 3

1 Hallo, Sarah, hier ist Anne. Du, ich komme ein bisschen später! ____
2 Irgendwie bin ich völlig falsch gefahren. Am Potsdamer Platz habe ich dann einen Taxifahrer nach dem Weg gefragt, aber der Blödmann hat mich in die falsche Richtung geschickt. So ein Mist! ____
3 Nein, nein, danke, das schaffe ich schon! Also bis gleich, hoffentlich. ____

a) Ach, du Ärmste, das tut mir aber leid. Soll ich dich holen?
b) Bis gleich.
c) Ja, das ist okay. Was ist denn passiert?

Präteritum von **haben**
(früher, gestern, vor einer Woche)

ich hatte	wir hatten
du hattest	ihr hattet
sie/er/es/man hatte	sie/Sie hatten

Hören Sie noch einmal und vergleichen Sie.

C 4 Welche Sätze passen? Ergänzen Sie Sätze aus C 3 und die Regel.

		Verb 1 (haben/sein)		Verb 2 (Partizip Perfekt)
1	*Es*	*hat*	*alles super*	*geklappt.*
2		*Hast*	*du doch diese Einzimmerwohnung*	*genommen?*
3	*Was*	*ist*	*denn*	*passiert?*
4				
5				
6				
7				

> **!** sein ◆ haben ◆ Partizip Perfekt
>
> 1 Diese Zeitform nennt man Perfekt. So berichtet man über Vergangenes (vor fünf Minuten, heute Morgen, gestern, vor einer Woche, letztes Jahr …).
> 2 Das Perfekt bildet man mit ____________ oder ______________ und dem Partizip Perfekt.
> 3 Auf Position 2 stehen __________ oder _____________, das _______________________ steht am Ende.

ARBEITSBUCH 10

C 5 Sortieren Sie die Verben, finden Sie die Infinitive und ergänzen Sie die Regel.

gearbeitet ◆ gefahren ◆ gefragt ◆ gegessen ◆ gekauft ◆ kennengelernt ◆ geklappt ◆ gelaufen ◆ gemacht ◆ genommen ◆ geschickt ◆ gesehen

regelmäßige Verben	*unregelmäßige Verben*
arbeiten – gearbeitet	*fahren – (ist) gefahren*
fragen – gefragt	*essen – gegessen*

Lerntipp:

Lernen Sie die unregelmäßigen Verben und die Verben mit *„sein“* immer mit dem Partizip Perfekt, also:
essen – **gegessen**,
fahren – **(ist) gefahren**
passieren – **(ist) passiert** usw.
Sie finden diese Informationen auch im Wörterbuch.

> **!** Das Partizip Perfekt von regelmäßigen Verben wie „arbeiten“, „fragen“, „machen“ bildet man mit der Vorsilbe ________. Die Endung ist „-(e)t“: **ge**arbeite**t**, **ge**frag**t**, **ge**mach**t**.
> Das Partizip Perfekt von unregelmäßigen Verben wie „essen“, „fahren“, „nehmen“ bildet man mit der Vorsilbe „ge-“. Die Endung ist ________: **gegessen**, **gefahren**, **genommen**.*
>
> * Das Perfekt von *„sein“* heißt ***(ist) gewesen***. Das Perfekt von *„haben“* heißt ***(hat) gehabt***. Man benutzt diese Formen nur selten. Meistens benutzt man die Präteritumformen von *„sein“*: ***war*** und von *„haben“*: ***hatte***

C 6 Arbeiten Sie zu zweit. Wählen Sie eine Situation und spielen Sie.

1a Sie sind in Berlin und hatten ein Vorstellungsgespräch. Es hat gut geklappt. Rufen Sie Ihre Mutter / Ihren Vater an. Erzählen Sie, wie alles war und was Sie in Berlin schon alles gemacht haben.

1b Ihr Sohn / Ihre Tochter ruft aus Berlin an. Er / Sie hat eine neue Stelle gefunden. Gratulieren Sie und fragen Sie genau nach.

2a Sie waren am Wochenende in Berlin. Rufen Sie eine Freundin / einen Freund an und erzählen Sie, was Sie alles in Berlin gesehen und gemacht haben.

2b Eine Freundin / ein Freund ruft Sie an und erzählt Ihnen vom Urlaub in Berlin. Sie wollen alles ganz genau wissen: Fragen Sie, wo sie/er überall war, was schön war, was nicht so schön war.

3a Sie wollen eine Freundin in Berlin besuchen. Sie sind das erste Mal in Berlin. Sie sind total falsch gefahren. Rufen Sie die Freundin an und sagen Sie, was passiert ist.

3b Sie warten seit einer halben Stunde auf eine Freundin / einen Freund. Sie/Er ruft Sie an. Sie/Er ist total falsch gefahren. Fragen Sie, was passiert ist, wo sie/er jetzt ist und wie Sie helfen können.

D Lieblingsplätze in Berlin

D 1 Lesen Sie einen Text und machen Sie Notizen.

Berlin

(Neu-)Berliner erzählen, was sie mit ihrer Stadt verbindet.

1 Anne Frei, 41, Verkäuferin

In Berlin hat man nur zwei Möglichkeiten. Entweder man findet es total schrecklich oder man liebt es. Ich liebe es. Hier gibt es alles, was man braucht – auch für Kinder. Meine Kinder sind zehn und sieben Jahre alt. Für sie war der absolute Höhepunkt in diesem Jahr der „Kinderkarneval der Kulturen". Wir gehen auch oft in den Zoo und im Sommer sind wir natürlich an den vielen Badeseen rund um Berlin. Ohne sie ist Berlin nicht Berlin. Unser Lieblingssee ist der Wannsee.

2 Lama Tulku Ngawang, 40

Eigentlich komme ich aus Tibet; ich habe früher als Mönch in Nordindien gelebt. Eines Tages war da Sandra. Ich habe sie gesehen und für mich war sofort klar: Ohne sie will ich nicht leben. Also bin ich mit ihr nach Berlin gegangen. Wir haben inzwischen auch eine Tochter, Tanja. Wo meine Familie ist, da ist für mich mein Zuhause. Mein Lieblingsplatz ist die Wilmersdorfer Straße. Ich sitze montags bis samstags von 15 bis 20 Uhr hier und trommle und spreche mit den Leuten. Seit sechs Jahren schon. Die Leute mögen mich und respektieren mich.

3 Marion Glatt, 29, Sekretärin

Ich bin erst seit einem halben Jahr in Berlin und finde es ein bisschen laut und hektisch. Eigentlich komme ich aus Rostock, da ist es ruhiger. Aber ich habe hier eine gute Stelle gefunden. Am Wochenende gehe ich mit Kollegen in den Tiergarten. Ich kenne ihn inzwischen in- und auswendig. Und sonntags frühstücke ich gern im Café Buchwald. Die beste Diskothek ist für mich das „Cookies".

4 Andrew Clark, 25, und Samantha Smith, 23, Studenten aus Chicago

Wir leben erst seit zwei Wochen in Berlin. Und wir finden es fantastisch! Leider verstehen die Leute uns oft nicht, das ist sehr schade! Wir lernen gern neue Leute kennen.
Wir gehen sehr viel zu Fuß durch die Stadt. Das ist für uns die beste Art, alles in Berlin zu sehen. Die alten Häuser sind einfach großartig.
Das schöne Café im Tiergarten ist unser absoluter Lieblingsplatz. Es heißt „Neue See" oder so ähnlich. Wir besuchen es gerne. Da sitzt man wunderbar und die Pizza ist auch sehr gut.

Name	Alter	Beruf	Seit wann in Berlin?	Berlin: +/–	Lieblingsorte
1 Anne Frei	41	Verkäuferin	?	liebt es	Zoo, Wannsee
2					
3					
4					

D 2 **Lesen Sie die Beispiele. Unterstreichen Sie die Bezugswörter und ergänzen Sie die Pfeile wie in Satz 1 und 2.**

	Nomen	Pronomen
1	In Berlin hat man nur zwei Möglichkeiten.	Entweder man findet **es** furchtbar oder man liebt **es**.
2	Meine Kinder sind zehn und sieben Jahre alt.	Für **sie** war das absolute Highlight in diesem Jahr der „Kinderkarneval der Kulturen“.
3	Im Sommer sind wir an den vielen Badeseen.	Ohne **sie** ist Berlin nicht Berlin.
4	Eines Tages war da Sandra.	Ich habe **sie** gesehen …
5	Ich habe sie gesehen	und für **mich** war sofort klar: Ohne sie will ich nicht leben.
6	Am Wochenende gehe ich in den Tiergarten.	Ich kenne **ihn** inzwischen in- und auswendig.
7	Wir leben erst seit zwei Wochen in Berlin.	Leider verstehen die Leute **uns** oft nicht.

Suchen Sie weitere Beispiele in den Texten.

Ergänzen Sie die Regel und die Tabelle.

! Pronomen ◆ für ◆ Akkusativ ◆ Verben ◆ Präpositionen

1 ________________ ersetzen in Texten und Dialogen bereits bekannte Personen, Namen und Nomen. Man kann so Wiederholungen vermeiden.

2 Pronomen stehen im ____________________ nach:
____________________ mit Akkusativ und ________________ mit Akkusativ
(zum Beispiel: *ohne,* ____________).

Nominativ	ich	du	sie	er	es	wir	ihr	sie	Sie
Akkusativ	____	*dich*	____	____	____	____	*euch*	____	*Sie*

ARBEITSBUCH 16–19

D 3 **Sprechen Sie über Städte, Länder, Sehenswürdigkeiten.**

Wie finden Sie Berlin / Rom / Paris / Kairo / Prag / Deutschland / Spanien / Italien / die Türkei / … ?
Wie finden Sie die Pyramiden / die Akropolis / den Eiffelturm / … ?

Ich finde sie / ihn / es …
Keine Ahnung. Ich war noch nie dort.
Ich habe sie / ihn / es noch nie gesehen.
Für mich ist sie / er / es …
Ich mag sie / ihn / es (nicht).

■ *Wie findest du Berlin?* ↘
● *Keine Ahnung.* ↘ *Ich war noch nie dort.* ↘
Und wie findest du Rom? ↘
■ *Für mich ist Rom einfach wunderbar.* ↘

D 4 **Machen Sie ein Interview. Berichten Sie über Ihre Lieblingsstadt oder über Lieblingsplätze in Ihrer Stadt. Arbeiten Sie zu viert.**

Wie heißt Ihre Lieblingsstadt?
…
Was ist für Sie schön / wichtig / interessant an …?
Haben Sie auch einen Lieblingsplatz?
…

ARBEITSBUCH 20–22

E Der Ton macht die Musik

E 1 Hören Sie das Lied und singen Sie mit.

Auf der Mauer, auf der Lauer	Wanze / tanzen
liegt 'ne kleine Wanze.	Wanze / tanzen
Sieh dir mal die Wanze an,	Wanze / tanzen
wie die Wanze tanzen kann.	Wanze / tanzen
Auf der Mauer, auf der Lauer	~~Wanze~~ / ~~tanzen~~
liegt 'ne kleine Wanze.	

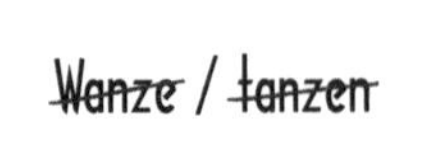

E 2 Ergänzen Sie die Strophen. Schreiben Sie einen neuen Text.

1
Koffer packen, Taxi rufen
und dann ab zum Bahnhof!
Sonst fährt noch der Zug ab,
____
Koffer packen, Taxi rufen
und dann ab zum Bahnhof!

2
Endlich bin ich in Berlin,
eine ganze Woche.
____
____
Endlich bin ich in Berlin,
eine ganze Woche.

3
Wo ist denn der Bundestag?
Ich kann ihn nicht finden.
____
____
Wo ist denn der Bundestag?
Ich kann ihn nicht finden.

4
Heute geh'n wir in den Zoo,
zu den wilden Tieren.
____
____
Heute geh'n wir in den Zoo,
zu den wilden Tieren.

und dann wieder links lang.
der, den ich gebucht hab'.
Bären, Tiger, Känguru?
Ach, ich möchte alles seh'n,

Nein, ich schau den Affen zu.
Gehen Sie hier rechts lang,
wohin soll ich heute geh'n?
~~Sonst fährt noch der Zug ab~~,

Vergleichen Sie Ihre Texte und singen Sie gemeinsam.

ARBEITSBUCH 23–28

F Zwischen den Zeilen

F 1 Wie sind die Dialoge? Hören und markieren Sie.

	Mitleid haben	Ärger signalisieren
Dialog 1	☐	☐
Dialog 2	☐	☐

F 2 Was passt? Sortieren Sie.

Ach du lieber Himmel/Gott! ◆ Oje! Wie schrecklich! ◆ Mensch, Kurt! ◆ So ein Mist! ◆ Ich glaub' dir kein Wort! ◆ Du Arme/Ärmste! ◆ So ein Quatsch! ◆ Das ist doch das Letzte! ◆ Ach du meine Güte! ◆ Ach herrje!

Mitleid haben	Ärger signalisieren
Ach du lieber Gott!	*Mensch, Kurt!*

Kennen Sie noch andere Ausdrücke? Ergänzen Sie die Liste.

F 3 Üben Sie zu zweit kleine Dialoge.

1a Sie sind krank und können nicht zur Arbeit kommen. Rufen Sie in der Firma an.

1b Ihr Kollege ist krank. Er ruft Sie in der Firma an. Was sagen Sie?

2a Sie sind neu in Berlin und mit einer Freundin im Tiergarten verabredet. Sie finden den Tiergarten nicht und kommen zwei Stunden zu spät.

2b Sie sind mit Ihrer Freundin im Tiergarten verabredet. Sie kommt mal wieder zu spät und sagt, sie hat den Weg nicht gefunden. Das glauben Sie nicht, denn Ihre Freundin kommt immer zu spät.

Eine Bildgeschichte

G Kurz & bündig

Orts- und Richtungsangaben

Entschuldigen Sie bitte, **ich möchte zum** Mauermuseum.	(Ja, also:) Wir sind **hier am** Potsdamer Platz und **da** ist das Mauermuseum.
Entschuldigung, **wie kommen** wir denn **zum** Deutschen Dom?	Der ist **ganz in der Nähe**. Fahren Sie hier die Leipziger Straße **immer geradeaus**, dann **die fünfte** Straße **links**. Das ist die Charlottenstraße. Dann **wieder geradeaus**, da kommt dann **auf der rechten Seite** der Deutsche Dom.
Entschuldigung, **wo ist denn** die Gemäldegalerie?	Gehen Sie **hier** die Potsdamer Straße **geradeaus**, dann **rechts** in die Sigismundstraße und **wieder geradeaus**. Dann kommen Sie **direkt zur** Gemäldegalerie.

Präteritum von „sein" und „haben" § 12

Ich **hatte** heute echt einen Glückstag.	Schön, das freut mich.
Hast du doch diese Einzimmerwohnung in Schöneberg genommen?	Nein, da **waren** zu viele vor mir. Da **hatte** ich keine Chance.
Hast du für Silke schon einen Berliner Bären gekauft?	Nein, dafür **hatte** ich noch keine Zeit.

Das Perfekt (1) § 11

Es ist wunderschön hier in Berlin. Luisa und ich **haben** schon so viel **gesehen**.
Wir **haben** dir auch schon eine ganz schöne Postkarte **geschickt**.
Wir **sind** den ganzen Tag durch die Stadt **gelaufen**.

Das Partizip Perfekt (1) § 11

regelmäßige Verben		**unregelmäßige Verben**	
machen	**gemacht**	fahren	(ist) **gefahren**
fragen	**gefragt**	bleiben	(ist) **geblieben**
arbeiten	**gearbeitet**	nehmen	**genommen**

Personalpronomen (Akkusativ) § 17

Meine Kinder sind zehn und sieben Jahre alt. Für **sie** war der absolute Höhepunkt in diesem Jahr der „Kinderkarneval der Kulturen". Wir gehen auch oft in den Zoo und im Sommer sind wir natürlich an den vielen Badeseen rund um Berlin. Ohne **sie** ist Berlin nicht Berlin.

Ich bin erst seit einem halben Jahr in Berlin und finde **es** ein bisschen laut und hektisch.
Am Wochenende gehe ich mit Kollegen in den Tiergarten, ich kenne **ihn** inzwischen in- und auswendig. Die beste Diskothek ist für **mich** das „Cookies".

Nützliche Ausdrücke

Entschuldigung, → wo ist denn die Gemäldegalerie? ↘	Tut mir leid. → Das weiß ich leider auch nicht. ↘ **Ich bin fremd hier.** ↘
Wie weit ist das denn **zu Fuß**? ↘	Das ist **schon weit**. → Fahren Sie besser **mit der U-Bahn** hier. ↘
Du, es hat alles super geklappt. ↘	
Ich hatte heute echt **einen Glückstag**. ↘	**Das ist ja toll**. → **Gratuliere.** ↘
Irgendwie bin ich **völlig falsch** gefahren. ↘	**Ach, du Ärmste!** ↘
So ein Mist! ↘	
Wir sind den ganzen Tag durch die Stadt gelaufen und jetzt gehen wir schön essen. ↘	**Gute Idee!** ↘ Das mache ich jetzt auch. ↘
Wie heißt Ihre **Lieblingsstadt**? ↘	Paris. ↘

Alltagssituationen

A Geschäfte

A 1 Sprechen Sie über die Fotos. Wo sind die Leute? Was sagen sie?

■ *Foto A ist bestimmt ein Kaufhaus. Da hinten ist eine Rolltreppe.*

● *Ja, genau. Das ist eine Information im Kaufhaus und die Frau fragt vielleicht: Wo gibt es hier Sportbekleidung?*

■ *Foto B ist im Bahnhof …*

A 2 Hören Sie vier Dialoge. Welcher Dialog passt zu welchem Foto?

	Foto
Dialog 1	
Dialog 2	
Dialog 3	
Dialog 4	

A 3 

Hören Sie noch einmal und kreuzen Sie an.

1 Wohin möchte der Mann?

- a) Zum Dom.
- b) Zum Bahnhof.
- c) Zum Flughafen.

2 Was sucht die Frau?

- a) Das Restaurant.
- b) Die Post.
- c) Den Flughafen.

3 Was kauft der Mann beim Bäcker?

- a) Zehn Brötchen.
- b) Einen Kuchen.
- c) Zwei Baguettes.

4 Wann fährt der Zug nach Dresden?

- a) Um 13 Uhr.
- b) Um 10 Uhr.
- c) Um 15 Uhr.

A 4

Was können Sie in diesen Situationen fragen? Machen Sie eine Liste mit W-Fragen.

Einkaufen	*Am Bahnhof*
Wo gibt es ...?	*Wann ...?*

A 5

Fragen und antworten Sie. Arbeiten Sie zu viert.

Thema: Einkaufen	Thema: Einkaufen
Fahrrad	**Uhr**
Thema: Einkaufen	Thema: Einkaufen
Sofa	**Familie**
Thema: Am Bahnhof	Thema: Am Bahnhof
Fahrkarte	**Taxi**
Thema: Am Bahnhof	Thema: Am Bahnhof
Zug	**Hamburg**

■ *Entschuldigung, wo gibt es hier (denn) Fahrräder?*

● *Im vierten Stock.*

A 6 **Schreiben und spielen Sie kleine Dialoge zu den Situationen von A 1. Arbeiten Sie zu zweit.**

■ *Guten Tag. Ich hätte gern …*

Um Informationen bitten / um Hilfe bitten		Etwas bestellen / einkaufen / wünschen
Entschuldigung,	ich suche	Ich hätte gern …
Verzeihung,	wo finde ich denn …?	Ich möchte …
	wo ist denn …?	Ein …, bitte.
	wo gibt es hier …?	Ich nehme …
		Ich brauche …
	haben Sie auch …?	Bringen Sie mir bitte …

A 7 **Sehen Sie sich die Fotos von A 1 noch einmal an. Wo gibt es Durchsagen?**

Im Supermarkt, ________________

A 8 **Hören Sie die Durchsagen und kreuzen Sie die richtige Lösung an.**

1 Die Fahrgäste nach Wien sollen heute einen anderen Zug nehmen. Richtig Falsch

2 Markus Wöller soll zu Flugsteig B7 kommen. Richtig Falsch

3 Die Kunden sollen im Urlaub Kirschen essen. Richtig Falsch

4 Frau Schwan soll ins Restaurant kommen. Richtig Falsch

A 9 **Ergänzen Sie passende Wörter.**

1 Im Supermarkt
die Lebensmittel (Pl.)
das Obst: Äpfel
…

2 Im Restaurant
die Speisekarte
der Kellner
…

3 Am Bahnhof
die Fahrkarte
der Schalter
…

4 Am Flughafen
das Ticket
der Koffer
…

5 Auf der Straße
der Stadtplan
die Uhrzeit
…

6 Im Kaufhaus
die Information
die Rolltreppe
…

Lerntipp:
Vokabeln lernen und wiederholen (1): „Die Wortgruppen-Methode"
Lernen Sie neue Wörter in Wortgruppen. Sortieren Sie die Wörter nach Themen (z. B. im Supermarkt, im Restaurant etc.). Ergänzen Sie andere Wörter, die Sie schon kennen.
Haben Sie eine Vokabelkartei? Suchen Sie alle Karten zu einem Thema (z. B. im Supermarkt) und üben Sie die Wörter. Dann wählen Sie ein neues Thema (Sportarten, Berufe, Familie …).

B Briefe und andere Schreiben

B 1 Lesen Sie. Welches Thema passt zu welchem Text?

A

Hi Janina, hast Du morgen Nachmittag Zeit zum Tennis-spielen? So um 16 Uhr? Ich hoffe, es klappt. Grüße-Jo

B

Liebe Angela,
endlich habe ich Deine Adresse bekommen! Ich freue mich sehr, dass ich eine neue Brieffreundin habe. Ich heiße Camilla und komme aus Schweden, aus Göteborg. Ich bin 12 Jahre alt und habe eine kleine Schwester, die ist 8.
Meine Hobbys sind Schwimmen und Musikhören. Ich spiele auch ein bisschen Gitarre. Seit einem halben Jahr habe ich Unterricht.
Was hast Du für Hobbys? Hast Du auch Geschwister?

C

Alles Gute zum Geburtstag!

D

Lieber Herr Sauer,
erinnern Sie sich? Ich habe schon einmal bei Ihnen ge...
gesagt, aber Sie hatten wohl gerade nicht viel Zeit. Darf ich mich ...
einmal vorstellen? Ich heiße Nikos Palikaris und komme aus Griechenland. Seit drei Wochen wohne ich jetzt hier im Haus. Ich bin 22 Jahre alt und Student.
Am kommenden Samstag mache ich eine kleine Einweihungsparty. Kommen Sie doch auch vorbei und feiern Sie mit. Dann können wir uns gleich ein bisschen näher kennenlernen.
Viele Grüße
Nikos Palikaris

E

Jetzt senden | Später senden | Als Entwurf speichern | Anlagen hinzufügen | Signatur | Optionen
unbenannt
Von:
An:
Cc:
BCc:
Betreff:
Anlagen: keine
Standardschriftart | Textgrad

Hallo Herr Rohde,
mein Mann hatte einen Unfall. Ich bin zu ihm ins Krankenhaus gefahren. Sie waren leider schon in der Mittagspause. Der Brief für Müller & Behrmann ist fertig und liegt auf Ihrem Schreibtisch. Sie müssen ihn nur noch unterschreiben. Ich melde mich später.
Vielen Dank für Ihr Verständnis.

Katharina Lauterbach
Hölzlein Verlag
Sekretariat
Münchner Str. 8
85435 Erding

F

Ihr nächster Termin

DR. KARL-HEINZ SCHERER
ZAHNARZT · ORALCHIRURGIE
KARWENDELSTR. 28
80639 MÜNCHEN

Bitte zum Arztbesuch Versicherungskarte nicht vergessen. Falls Sie einen Termin nicht einhalten können, sagen Sie ihn bitte rechtzeitig ab, damit er wieder vergeben werden kann.

Mo	Di	~~Mi~~	Do	Fr	13.7.	11⁰⁰
Mo	Di	Mi	Do	Fr		
Mo	Di	Mi	Do	Fr		

1 Termin für den Arztbesuch ▢
2 Einladung zur Einweihungsparty ▢
3 Beginn einer neuen Brieffreundschaft ▢
4 Entschuldigung einer Mitarbeiterin ▢
5 Glückwünsche zum Geburtstag ▢
6 Verabredung zum Tennis ▢

B 2 Sind die Sätze 1–4 richtig oder falsch? Kreuzen Sie an.

Lieber Herr Sauer,
erinnern Sie sich? Ich habe schon einmal bei Ihnen geklingelt und „Guten Tag" gesagt, aber Sie hatten wohl gerade nicht viel Zeit. Darf ich mich also noch einmal vorstellen? Ich heiße Nikos Palikaris und komme aus Griechenland. Seit drei Wochen wohne ich jetzt hier im Haus. Ich bin 22 Jahre alt und Student. Am kommenden Samstag mache ich eine kleine Einweihungsparty. Kommen Sie doch auch vorbei und feiern Sie mit. Dann können wir uns gleich ein bisschen näher kennenlernen.
Viele Grüße
Nikos Palikaris

1 Herr Sauer macht eine Einweihungsparty.	Richtig	Falsch ☒
2 Nikos Palikaris ist Grieche.	Richtig	Falsch
3 Nikos ist ein Nachbar von Herrn Sauer.	Richtig	Falsch
4 Nikos wohnt seit 22 Jahren in dem Haus.	Richtig	Falsch

B 3 Nikos Palikaris stellt sich vor. Was erfahren Sie über ihn? Was möchten Sie noch von ihm wissen? Sammeln Sie Fragen.

Welche Sprachen sprechen Sie / sprichst du?
Wie ist Ihre / deine Telefonnummer?
…

B 4 Jetzt stellen Sie sich vor. Arbeiten Sie zu viert.

Name? ◆ Alter? ◆ Land? ◆ Wohnort? ◆ Sprachen? ◆ Beruf? ◆ Hobby? ◆ …

B 5 Schreiben Sie Ihrer Nachbarin eine Einladung.

Sie haben seit vier Wochen eine neue Wohnung und wollen Ihre Nachbarn kennenlernen. Sie machen am nächsten Samstag eine Einweihungsparty. Schreiben Sie Ihrer Nachbarin Frau Petersen eine Einladung.

- Stellen Sie sich kurz vor.
- Schreiben Sie, wann und warum Sie eine Party feiern.
- Bitten Sie sie um eine Antwort.

Schriftliche Mitteilungen

	per Sie	per du
So fangen Sie an:	Sehr geehrte(r) Frau (Herr) … Liebe(r) Frau (Herr) …, Liebe(r) …,	Hallo (Tim)! Hi (Sandra)!
So können Sie aufhören:	Mit freundlichen Grüßen Viele Grüße	Viele / Liebe / Herzliche Grüße Bis Samstag! / Bis bald!

B 6 Welche guten Wünsche kennen Sie? Was passt wo?

Alles Gute (für die Zukunft / zum Geburtstag / für das neue Jahr) ◆ Auf Wiedersehen! ◆ Bis bald! ◆ Viel Glück! ◆ Guten Appetit! ◆ Guten Flug! ◆ Gute Reise! ◆ Herzlichen Glückwunsch (zum Geburtstag)! ◆ Kommt gut nach Hause! ◆ Prost (Neujahr)! ◆ Viel Spaß! ◆ …

B 7 Spielen Sie kleine Dialoge. Arbeiten Sie zu zweit.

■ *Das Essen ist fertig. Kommt ihr bitte?*
● *Mhmm, Spaghetti! Lecker.*
■ *Guten Appetit!*

B 8 Schreiben Sie eine kurze Geschichte mit diesen sieben Wörtern.

Einweihungsparty ◆ Brieffreundin ◆ Verabredung ◆ Notiz ◆ Tennis ◆ finden ◆ passieren

Beispiel:
Heute Morgen habe ich eine Notiz von meinem Nachbarn an der Haustür gefunden. Er hat eine Brieffreundin in Schweden. …

Lerntipp:

Vokabeln lernen und wiederholen (2): „Die Geschichten-Methode"

Machen Sie mit den neuen Vokabeln kurze Geschichten.
Probieren Sie es gleich aus! Notieren Sie sieben Wörter und schreiben Sie eine kleine Geschichte.
Wiederholen Sie diese Geschichten immer wieder: beim Spülen, beim Kochen …

C Schilder und Aushänge

C 1 Wo hängen die Schilder? Raten Sie.

1

Dr. med. Jürgen Leise

Sprechzeiten
Mo., Di., Do. 9–13
15–17
Fr. 9–1

Wir sind umgezogen!
Sie finden uns jetzt in der Bleichstraße 38.
Tel.: 02 11/31 80 06

2

Mo.–Mi.	9.00–15.30 Uhr
Do.	9.00–18.00 Uhr
Fr.	9.00–15.30 Uhr

3

Heute Premiere

Die Klavierspielerin

nach dem Roman von

Elfriede Jelinek

4

Die Meldestelle hat am Montag, 21. 06. 04, wegen des Betriebsausflugs geschlossen!

5

Die Anmeldungen für die neuen Deutschkurse finden vom 1. bis 31. August statt.
Anmeldeformulare in Zimmer 11 bei Frau Dorn.
Hier können Sie auch einen Einstufungstest machen.
Mit allen Fragen wenden Sie sich bitte an Frau Dorn.

6

7

8

■ *Schild 1 hängt bestimmt an der Tür beim Arzt.*
● *Genau. Der Arzt hat eine neue Adresse.*
▲ *Man muss jetzt in die Bleichstraße 38 gehen.*

■ *Schild 2 gibt es vielleicht in der Bank.*
● *Man kann dort Geld wechseln.*

C 2 Lesen Sie die Texte aus C 1 und die Aufgaben 1–4. Kreuzen Sie an: richtig oder falsch.

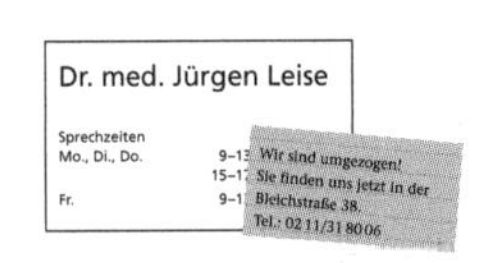

Dr. med. Jürgen Leise
Sprechzeiten
Mo., Di., Do.
Fr.
Wir sind umgezogen!
Sie finden uns jetzt in der
Bleichstraße 38.
Tel.: 0211/31 80 06

1 Am Eingang von der Arztpraxis

Die Praxis gibt es leider nicht mehr. Richtig Falsch

Mo.–Mi. 9.00–15.30 Uhr
Do. 9.00–18.00 Uhr
Fr. 9.00–15.30 Uhr

2 Am Eingang von der Bank

Sie können auch am Samstag in die Bank gehen. Richtig Falsch

Heute Premiere
Die Klavierspielerin
nach dem Roman von
Elfriede Jelinek

3 Im Theater-Foyer

Hier können Sie heute ein Klavierkonzert hören. Richtig Falsch

Die Meldestelle hat am Montag, 21. 06. 04, wegen des Betriebsausflugs geschlossen!

4 An der Tür der Meldestelle

Sie können nur von Dienstag bis Freitag zur Meldestelle gehen. Richtig Falsch

C 3 Wie sind die Öffnungszeiten in Ihrem Heimatland? Arbeiten Sie in Gruppen und vergleichen Sie.

Welche Öffnungszeiten gibt es für ...

- Banken
- Postämter
- Supermärkte

...

C 4 Lesen Sie das Schild 5 noch einmal. Notieren Sie.

Die Anmeldungen für die neuen Deutschkurse finden vom 1. bis 31. August statt.
Anmeldeformulare in Zimmer 11 bei Frau Dorn.
Hier können Sie auch einen Einstufungstest machen.
Mit allen Fragen wenden Sie sich bitte an Frau Dorn.

1 Was für Kurse kann man hier machen?

____

2 Wo kann man sich anmelden?

____

3 Von wann bis wann ist eine Anmeldung möglich?

____

4 Wie kann man den passenden Kurs finden?

____

5 Bei wem können Sie Hilfe bekommen?

____

C 5 **Sie möchten Ihren Freund zum Deutschkurs anmelden. Schreiben Sie die fünf fehlenden Informationen in das Formular.**

Ihr Freund Giuseppe Macola aus Italien möchte einen Sommerkurs in Deutschland machen. Er kann noch kein Deutsch und bittet Sie, ihn bei der Volkshochschule anzumelden. Er wohnt bei Ihnen in der Friedrichstraße 2 in Berlin. Füllen Sie das Formular für Ihren Freund aus.

VHS

Name	____________
Vorname	____________
Straße/Nr.	____________
Postleitzahl/Ort	*10969 Berlin*
Kurs	____________
Kursnummer	*LM 1086*
Staatsangehörigkeit	____________

C 6 **Finden Sie Gegensätze.**

abmelden ◆ Auf Wiedersehen! ◆ Ausgang ◆ bitte ◆ einsteigen ◆ fragen ◆ geschlossen ◆ kommen ◆ langweilig ◆ neu ◆ Sommer ◆ teuer ◆ unmöglich ◆ zumachen ◆ …

abmelden – anmelden
…

Lerntipp:

Vokabeln lernen und wiederholen (3): „Die Gegensatz-Methode" oder „Die Synonym-Methode"

Finden Sie zu neuen Wörtern den passenden Gegensatz oder ein Synonym, z. B.:

Gegensätze	Synonyme
geöffnet – geschlossen	geöffnet – offen/auf
neue (Adresse) – alte (Adresse)	geschlossen – zu
…	

Finden Sie weitere Beispiele.

D Anzeigen

D1 Lesen und unterstreichen Sie. Was suchen die Leute in den Anzeigen? Was bieten sie an?

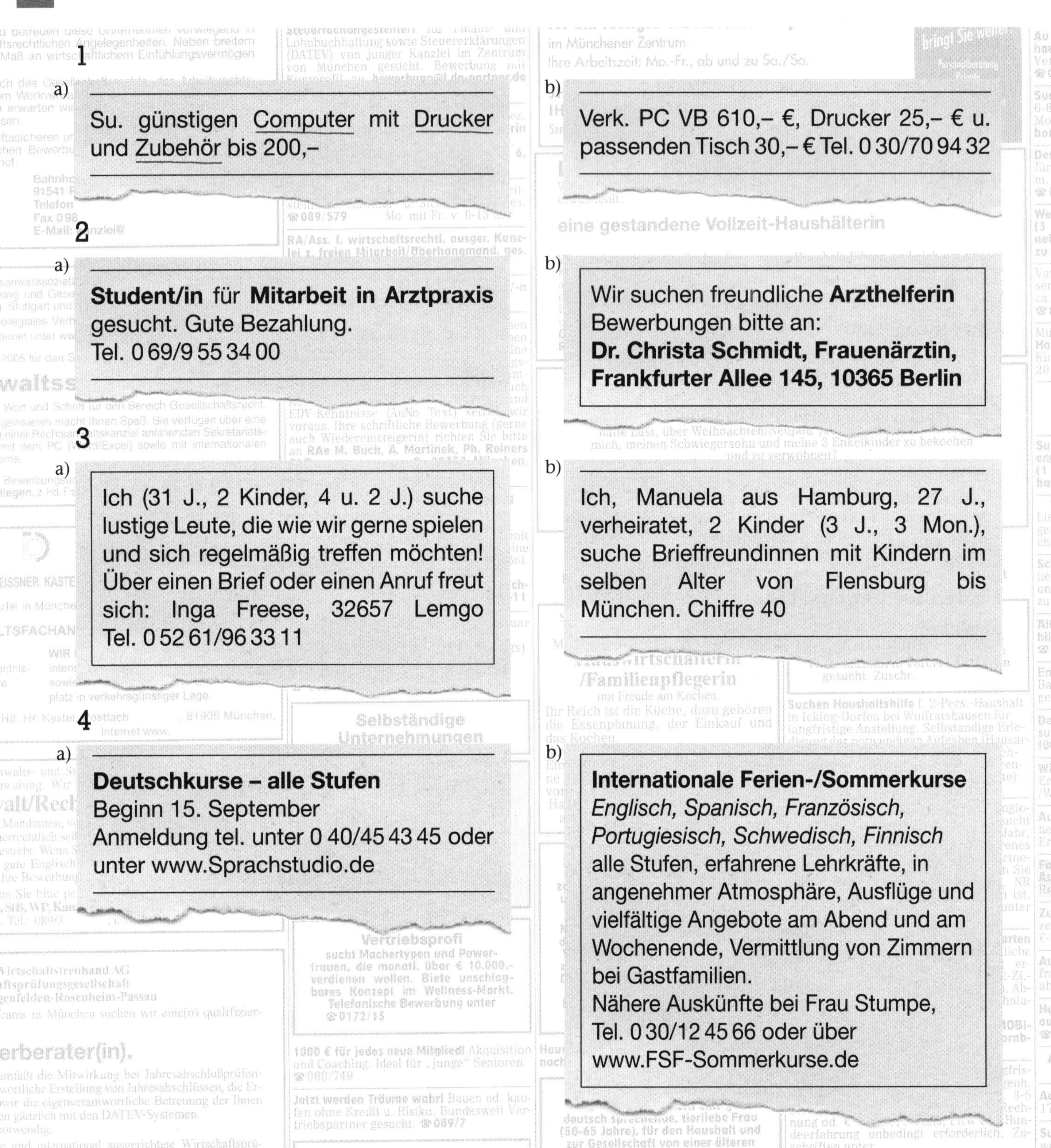

1
a)
Su. günstigen Computer mit Drucker und Zubehör bis 200,–
b)
Verk. PC VB 610,– €, Drucker 25,– € u. passenden Tisch 30,– € Tel. 0 30/70 94 32
2
a)
Student/in für Mitarbeit in Arztpraxis gesucht. Gute Bezahlung.
Tel. 0 69/9 55 34 00
b)
Wir suchen freundliche Arzthelferin
Bewerbungen bitte an:
Dr. Christa Schmidt, Frauenärztin, Frankfurter Allee 145, 10365 Berlin
3
a)
Ich (31 J., 2 Kinder, 4 u. 2 J.) suche lustige Leute, die wie wir gerne spielen und sich regelmäßig treffen möchten! Über einen Brief oder einen Anruf freut sich: Inga Freese, 32657 Lemgo Tel. 0 52 61/96 33 11
b)
Ich, Manuela aus Hamburg, 27 J., verheiratet, 2 Kinder (3 J., 3 Mon.), suche Brieffreundinnen mit Kindern im selben Alter von Flensburg bis München. Chiffre 40
4
a)
Deutschkurse – alle Stufen
Beginn 15. September
Anmeldung tel. unter 0 40/45 43 45 oder unter www.Sprachstudio.de
b)
Internationale Ferien-/Sommerkurse
Englisch, Spanisch, Französisch, Portugiesisch, Schwedisch, Finnisch
alle Stufen, erfahrene Lehrkräfte, in angenehmer Atmosphäre, Ausflüge und vielfältige Angebote am Abend und am Wochenende, Vermittlung von Zimmern bei Gastfamilien.
Nähere Auskünfte bei Frau Stumpe, Tel. 0 30/12 45 66 oder über www.FSF-Sommerkurse.de

■ *In den Anzeigen ganz oben geht es um Computer.*

● *Ja, genau. In der Anzeige links sucht jemand einen Computer.*

■ …

D 2 **Welche Anzeige passt? Lesen Sie die Anzeigen von D 1 und kreuzen Sie an: a oder b.**

1 Sie möchten einen gebrauchten Computer kaufen. Wo finden Sie Informationen? ☐ a) ☐ b)

2 Sie studieren und möchten nebenbei etwas Geld verdienen. Welche Anzeige passt? ☐ a) ☐ b)

3 Sie suchen Brieffreunde. Wo finden Sie die? ☐ a) ☐ b)

4 Sie möchten einen Deutschkurs machen. Wo finden Sie Informationen? ☐ a) ☐ b)

Haben Sie schon einmal etwas per Anzeige verkauft oder gesucht? Berichten Sie.

D 3 **Hören Sie und kreuzen Sie an: a, b oder c.**

1 Welche Nummer soll der Mann anrufen?
☐ a) 11 80 61.
☐ b) 11 8 61.
☐ c) 11 8 16.

2 Wann möchte der Mann den Computer abholen?
☐ a) Heute Mittag.
☐ b) Heute Nachmittag.
☐ c) Heute Abend.

3 Was braucht der Mann?
☐ a) Informationen zum Programm.
☐ b) Die Telefonnummer von der Sprachschule.
☐ c) Informationen zum Einstufungstest.

4 Wo treffen sich die beiden Frauen?
☐ a) Beim Friseur.
☐ b) Zu Hause.
☐ c) Im Café Berger.

D 4 **Sie möchten einen Deutschkurs machen, einen gebrauchten Computer kaufen …
Schreiben und spielen Sie kleine Dialoge. Arbeiten Sie zu zweit.**

FSF, Stumpe, guten Tag. Was kann ich für Sie tun?
Ich möchte einen Englischkurs machen. Können Sie mir ein Programm schicken?
…

D 5 **Nehmen Sie eine Karte, formulieren Sie eine Bitte und antworten Sie.
Arbeiten Sie zu zweit oder zu viert.**

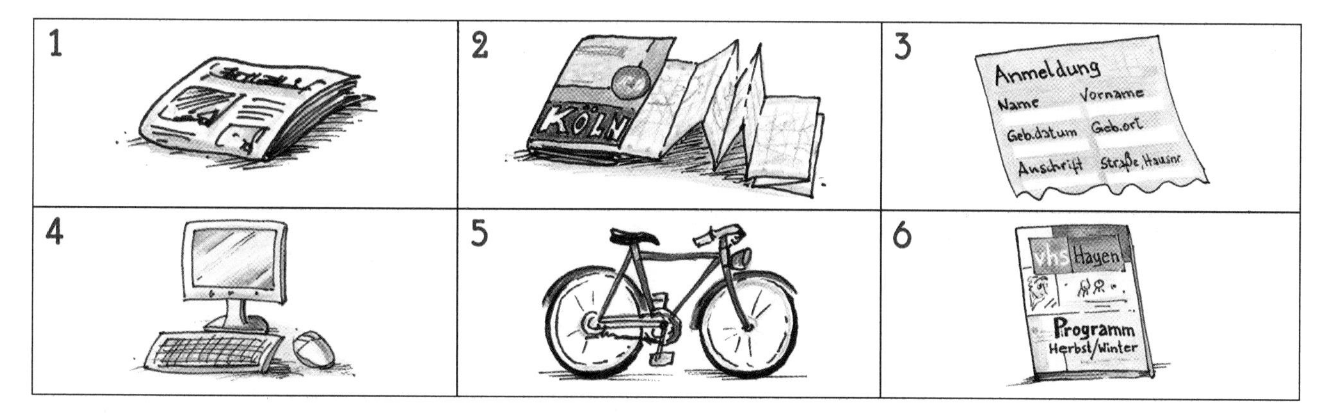

Kannst du mir bitte mal die Zeitung geben? Ich suche einen gebrauchten Computer.
Ja, natürlich. Hier, bitte.

Bitten formulieren

Ich hätte gern ... / Ich möchte ...
Können Sie (mir bitte) ... bringen / geben / schicken?
Kannst du (mir bitte) ... bringen / geben / kaufen / leihen?
Können Sie mir helfen? Ich brauche ... / Ich suche...
Ich muss ...

Hier darf man nicht / kein ... Können Sie bitte ... ?
Darf ich ... / Kann ich ...

D 6 **Ergänzen Sie passende Wörter.**

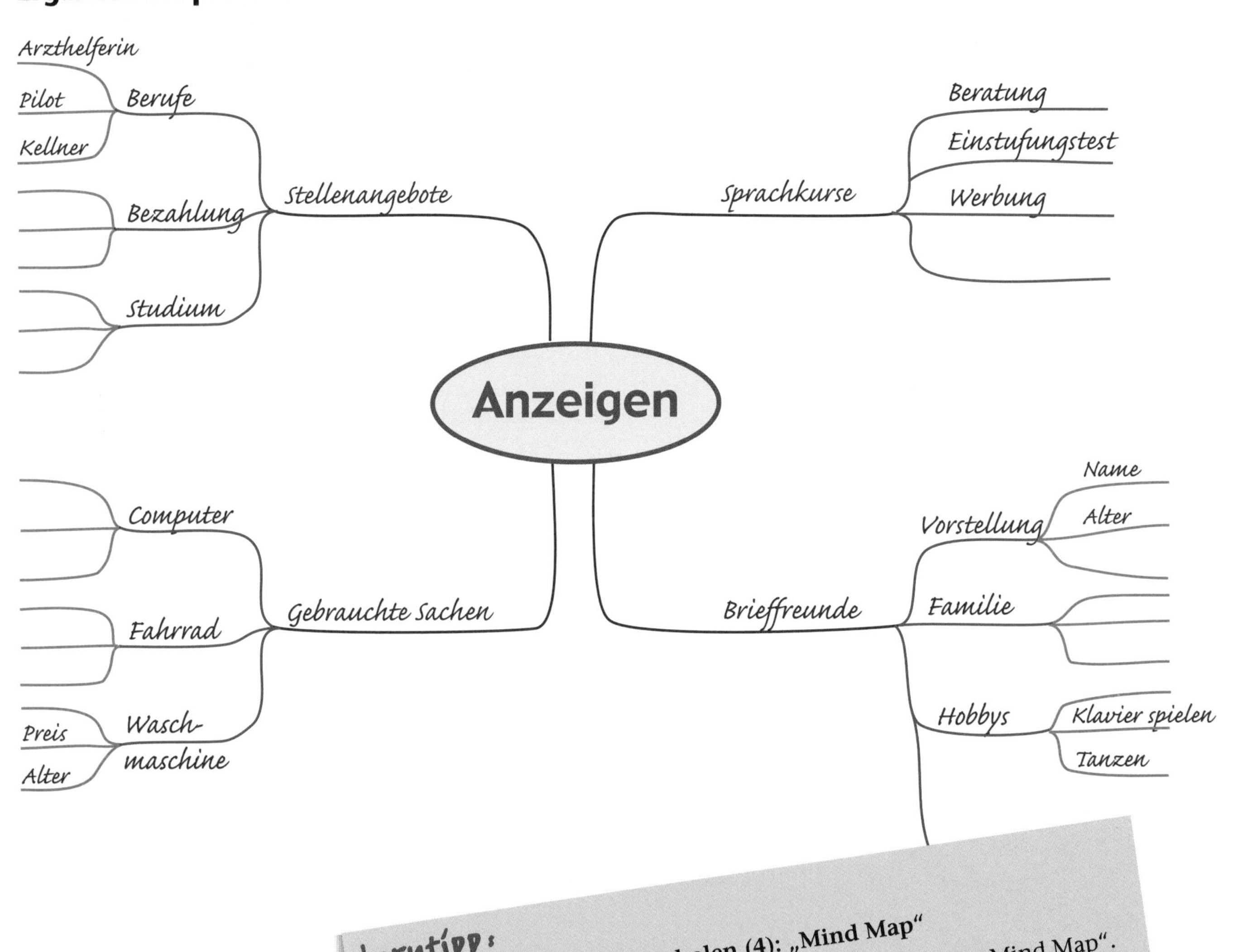

Lerntipp:

Vokabeln lernen und wiederholen (4): „Mind Map"

Sortieren Sie neue Wörter mit bekannten Wörtern in einer „Mind Map".
Zum Beispiel: „Anzeigen" ist das Ausgangswort.
Welche Anzeigen kennen Sie? Schreiben Sie sie um das Wort herum.
Ergänzen Sie dann passende Wörter. Malen und schreiben Sie die „Mind Map" in den nächsten Tagen zur Wiederholung immer wieder auf.

Zwischenspiel
Sie brauchen vier Spielfiguren und einen Würfel.
Spielen Sie zu viert.

Das Wiederholungsspiel

Spielregeln:

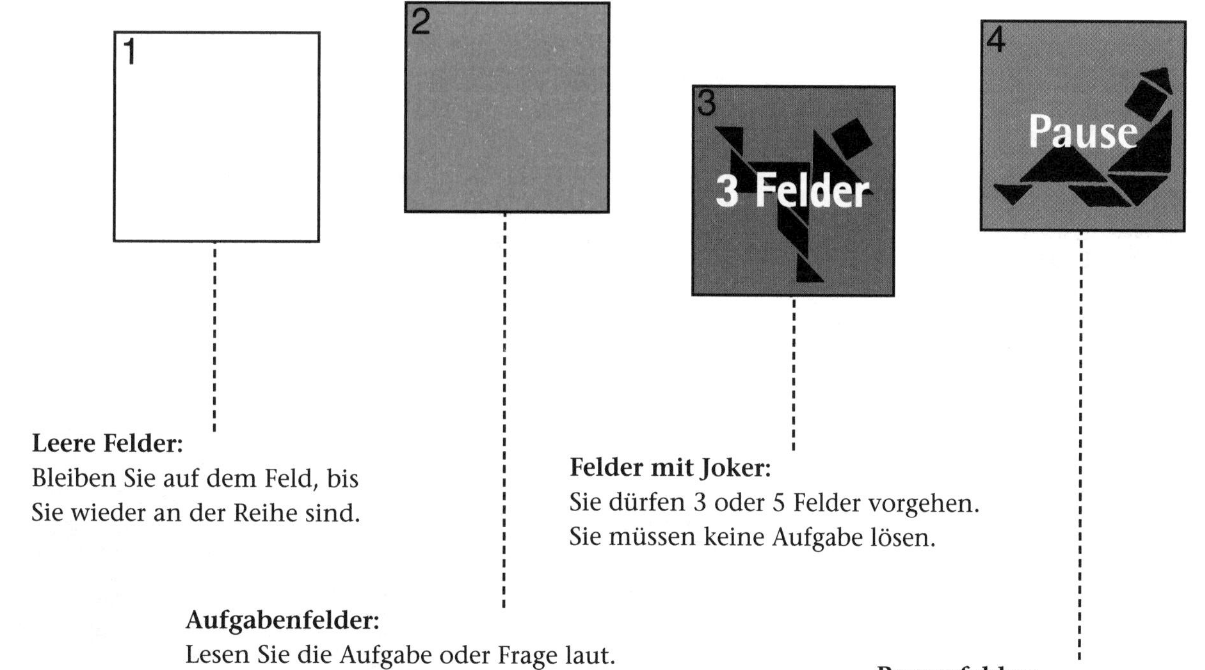

Leere Felder:
Bleiben Sie auf dem Feld, bis Sie wieder an der Reihe sind.

Felder mit Joker:
Sie dürfen 3 oder 5 Felder vorgehen.
Sie müssen keine Aufgabe lösen.

Aufgabenfelder:
Lesen Sie die Aufgabe oder Frage laut.
Lösen Sie die Aufgabe oder beantworten Sie die Frage.

- Richtige Lösung:
  Gehen Sie auf das nächste leere Feld vor.
- Keine oder falsche Lösung: Gehen Sie auf das nächste leere Feld zurück.

Pausenfelder:
Sie müssen einmal Pause machen.

1

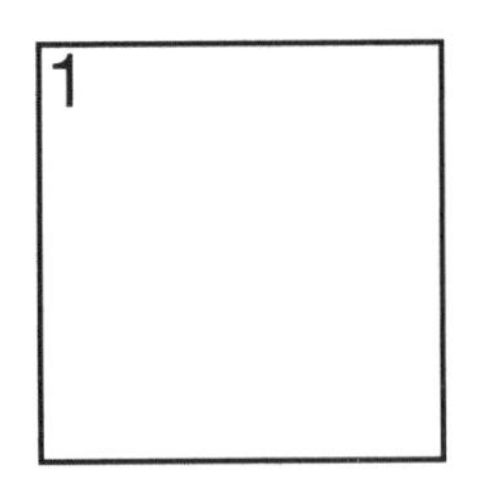

2

3
Wie heißen die Wochentage?

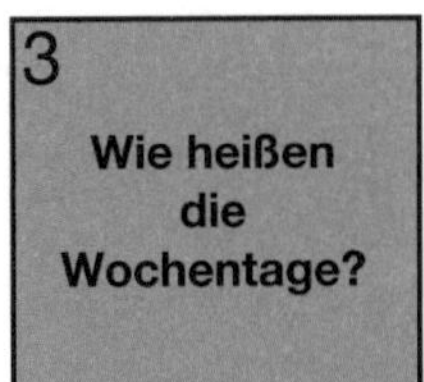

4 Wie heißt die Frage?
● ...?
■ Gehen Sie immer geradeaus. Da sehen Sie schon den Bahnhof.

5

6 Woher kommen Ihre Mitspieler?

7 Stellen Sie sich vor.

8 Nennen Sie drei Sehenswürdigkeiten in Ihrer Heimatstadt.

9

10 Was haben Sie am Wochenende gemacht? Berichten Sie.

11

12 Was machen Sie gern im Haushalt? Was finden Sie furchtbar? Nennen Sie je 3 Hausarbeiten.

13

14 Die Tocher von meiner Tochter. Wer ist das?

15 Wie heißt das Partizip Perfekt von ...? *gehen, bleiben, fragen*

16

17 Pause

18 Was macht der Mann?

19 Wo arbeiten Sie?

20 Wie heißen die Monate auf Deutsch?

21

22 Entschuldigung, wie spät ist es?

23 Was machen Sie am Samstagabend?

24

25

26 Was heißt das?

27 Ergänzen Sie.
● Wo ist denn Paul?
■ Der _____ nach Berlin__________. Er hat heute ein Vorstellungsgespräch.

28

29 Nennen Sie fünf Berufe.

30

31 Was machen die Leute?

32 Nennen Sie drei Verben mit der Vorsilbe *auf-*.

33

34

35 Nennen Sie drei Komposita mit *Lieblings-*.

36
● Wann beginnt der Film?
■ ...

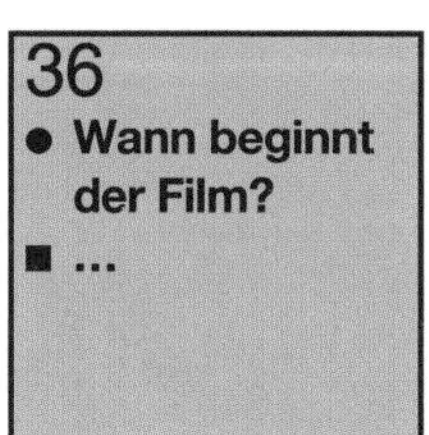

37

38 Ergänzen Sie:
● Wer ist denn der Mann da?
■ Kennst du ________ nicht? Das ist doch unser neuer Lehrer.

39 Wie heißt Ihre Lieblingsstadt?

40

41 Wo sind denn meine Schlüssel?

42 Nennen Sie fünf trennbare Verben.

43 Nennen Sie fünf Freizeitaktivitäten.

44

45 Was ist hier passiert?

46 Finden Sie je eine passende Vorsilbe.
_____kaufen
_____kommen
_____stehen

47

48 Wann benutzt man die Präpositionen?
am + ...
um + ...

49 Wie heißt die Antwort?
● Entschuldigung, wie komme ich denn zum Flughafen?
■ ...

50

51
● Wo bist du denn? Ich warte seit einer Stunde auf dich!
■ ...

52 Wann haben Sie Geburtstag?

53

54
● Kommst du mit ins Kino?
■ Nein, ...

55 Sie rufen beim Arzt an:
● Praxis Dr. Stefanidis. Guten Tag.
■ ...

56 Wie sieht Ihr Leben in 20 Jahren aus? Berichten Sie.

57

58

59 Wann ist das Geschäft geöffnet?

FIAT Krollmann
Mo–Fr: 9–17 Uhr

60 Nennen Sie drei Modalverben.

61

62 Nennen Sie drei Sehenswürdigkeiten von Berlin.

63

64 Ergänzen Sie.
● Kannst du _______ morgen abholen? Mein Auto ist kaputt.

65 Was sind Ihre Hobbys?

66

67

68

Arbeitsbuch

Lektionen 5 – 8

Arbeit und Freizeit

LEKTION 5

A Traumberufe

1 Welche Berufe kennen Sie? Ergänzen Sie.

Bankkauffrau ◆ Hausmann ◆ Friseur ◆ Kamerafrau ◆ Taxifahrer ◆ Automechaniker ◆ Hotelfachfrau ◆ ~~Ingenieur~~ ◆ Fotografin ◆ Journalistin ◆ Sekretärin ◆ Arzthelferin

1 ______________

2 ______________

3 ______________

4 ______________

5 ______________

6 ______________

7 ______________

8 ______________

9 *Ingenieur*

10 ______________

11 ______________

12 ______________

2 Wie heißen die Berufe? Lesen und ergänzen Sie.

		Beruf	Dialog
1	Sie arbeitet beim Fernsehen, beim Rundfunk oder bei der Zeitung. Sie schreibt Artikel und berichtet über aktuelle Themen.	Sie ist *Journalistin* .	*4*
2	Er schneidet seinen Kunden die Haare …	Er ist ______ .	
3	Sie macht Fotos von Menschen, Häusern …	Sie ist ______ .	
4	Sie arbeitet im Büro. Sie schreibt Briefe, telefoniert …	Sie ist ______ .	
5	Er repariert Autos und Motorräder.	Er ist ______ .	
6	Sie arbeitet in einer Arztpraxis. Sie vereinbart Termine mit den Patienten.	Sie ist ______ .	

Welcher Dialog passt zu welchem Beruf?

Hören und markieren Sie.

KURSBUCH A 1

3 Hören Sie, sprechen Sie nach und markieren Sie den Wortakzent.

Friseur Journalistin Hotelfachfrau Automechaniker Kamerafrau Fotograf Taxifahrer Hausmann Bankkauffrau Ingenieur Sekretärin Arzthelferin Schauspieler Fußballspieler Ärztin Fotomodell Lokführer Werbekauffrau Flugbegleiterin Kellner

4 Was „sagen" die Leute? Hören und markieren Sie.

1 Friseur / Kellner
2 Sekretärin / Fotomodell
3 Fotograf / Lokführer
4 Ärztin / Journalistin
5 Schauspieler / Hausmann
6 Ingenieur / Bankkauffrau

Hören Sie noch einmal und vergleichen Sie.

„Summen" Sie einen Beruf. Die anderen raten: Welcher Beruf ist das?

Friseur ◆ Kellner ◆ Fotomodell ◆ Lokführer ◆ Journalistin ◆ Fotograf

KURSBUCH A 2–A 3

5 Was möchte Daniel werden? Hören und markieren Sie.

4

☐ Kameramann ☐ Pilot ☐ Schauspieler ☐ Fußballspieler ☐ Automechaniker ☐ Opa

Ergänzen Sie die passenden Verben.

muss ◆ kann ◆ möchte

Daniel *möchte* Kameramann werden. Da ________ er immer tolle Krimis drehen. Aber ein Kameramann ________ oft die schwere Kamera tragen. Das findet Daniel nicht so gut.
Er ________ dann lieber Schauspieler werden. Da ________ ihn sein Opa im Fernsehen sehen. Aber sein Opa sagt, er ________ erst mal ein paar Jahre Schauspielunterricht nehmen. Das findet Daniel zu lange.
Dann ________ er lieber Fußballspieler werden. Daniel spielt jetzt schon jeden Samstag Fußball. Aber das reicht nicht. Ein Profi ________ jeden Tag trainieren. Dazu hat Daniel keine Lust. Er ________ lieber Opa werden. Da ________ er überhaupt nicht arbeiten und ________ den ganzen Tag fernsehen.

❤ Wunsch
Er **möchte** Pilot werden.

\+ Vorteile
Er **kann** immer fliegen.
(„Ich fliege gerne.")

– Nachteile
Ein Pilot **muss** auch nachts arbeiten.
(„Ich arbeite nicht gerne nachts.")

Wie geht der Text weiter? Schreiben Sie.

~~Taxifahrer~~ ◆ Journalist ◆ Hausmann ◆ Automechaniker ◆ ...

*Aber Opa ist kein Beruf. Daniel möchte **Taxifahrer** werden. Da **kann** er ...*
*Aber ein Taxifahrer **muss** ...*

KURSBUCH A 6–A 7

6 Was passt? Ergänzen Sie.

beim ◆ bei der ◆ im ◆ in der

1	Ein Lehrer ...		☐	________ Fernsehen, ________ Rundfunk oder ________ Zeitung.
2	Eine Ärztin ...		☐	________ Büro.
3	Ein Kellner ...		☐	________ Arztpraxis.
4	Ein Schauspieler ...	arbeitet	☐	________ Kaufhaus.
5	Ein Pilot ...		☐	________ Flugzeug.
6	Eine Verkäuferin ...		☐	________ Restaurant.
7	Ein Journalist ...		*1*	*in der* Schule.
8	Eine Sekretärin ...		☐	________ Film, Theater oder Fernsehen.

KURSBUCH A 8

Wo?		
bei der (*f*), beim (*m/n*) +	THEATER	Institution
bei +	BECKER	Firmenname
in der (*f*), im (*m/n*) +		Haus / Ort
in +		Stadt / Land

B Wochenende – und jetzt?

7 Was passt zu welchem Bild?

Fußball / Karten / Tennis spielen ◆ in die Disco / in die Oper / in die Stadt gehen ◆ ins Kino / ins Theater / ins Museum / ins Konzert gehen ◆ fotografieren ◆ joggen ◆ lesen ◆ schwimmen ◆ tanzen ◆ Fahrrad fahren ◆ spazieren gehen ◆ Musik hören ◆ …

8 Schreiben Sie Wortkarten und sortieren Sie. Oder schreiben Sie Listen.

interessant – langweilig
teuer – billig
Das mache ich: oft – nicht so oft

interessant	langweilig
fotografieren	*joggen*

Lerntipp:
Lernen Sie nicht nur die Wörter im Buch. Lernen Sie auch Wörter, die <u>für Sie</u> wichtig sind. Zum Beispiel Freizeit-Aktivitäten: Hier im Buch gibt es *zum Fußball gehen, Musik hören …* Was machen **Sie** gerne? Suchen Sie im Wörterbuch **Ihre** Lieblings-Aktivitäten.

interessant	*langweilig*
fotografieren	*joggen*
…	…

Vergleichen Sie zu dritt oder schreiben Sie.

Ich schwimme gern. Das macht Spaß. Und es ist nicht teuer.
Ich gehe gern in die Oper. Das finde ich interessant, aber das ist teuer.
Ich finde Joggen langweilig, aber es kostet nichts.

9 „in" oder „zu"? Ergänzen Sie.

- ● Hallo, Martina! Hör mal, Tanja und ich gehen am Samstag *in die* (1) Disco. Kommst du mit?
- ■ Ach, ich weiß nicht. Das ist mir zu viel. Britta und ich gehen da ________ (2) Kino.
- ● Wann geht ihr denn? Am Abend oder am Nachmittag?
- ■ Um acht Uhr. Und am Nachmittag gehe ich mit Rainer ________ (3) Fußballspiel von Bayern München.
- ● Ach so. Na ja, hast du denn am Sonntag Zeit? Wir könnten ________ (4) Park gehen.
- ■ Du, tut mir leid, da gehe ich mit den Kindern ________ (5) Zoo. Und danach gehen wir noch ________ (6) Flohmarkt. Ich suche eine günstige Stehlampe.
- ● Na, da habt ihr ja echt ein volles Programm! Und heute? Hast du heute Abend vielleicht Zeit? Los, komm, ich lade dich ________ (7) Restaurant ein.
- ■ Das ist eine gute Idee. Aber ich gehe heute mit meiner Mutter ________ (8) Theater. Sie hat mir zum Geburtstag eine Theaterkarte geschenkt.
- ● Schade!

10 Markieren und ergänzen Sie.

		in + Akk.	*zu + Dat.*	
1	Stadt	*X*		*in die Stadt*
2	Museum			
3	Pferderennen			
4	Oper			
5	Eishockey			
6	Musikmesse			
7	Theater			

KURSBUCH B 2–B 3

11 Ergänzen Sie die Uhrzeiten in beiden Formen.

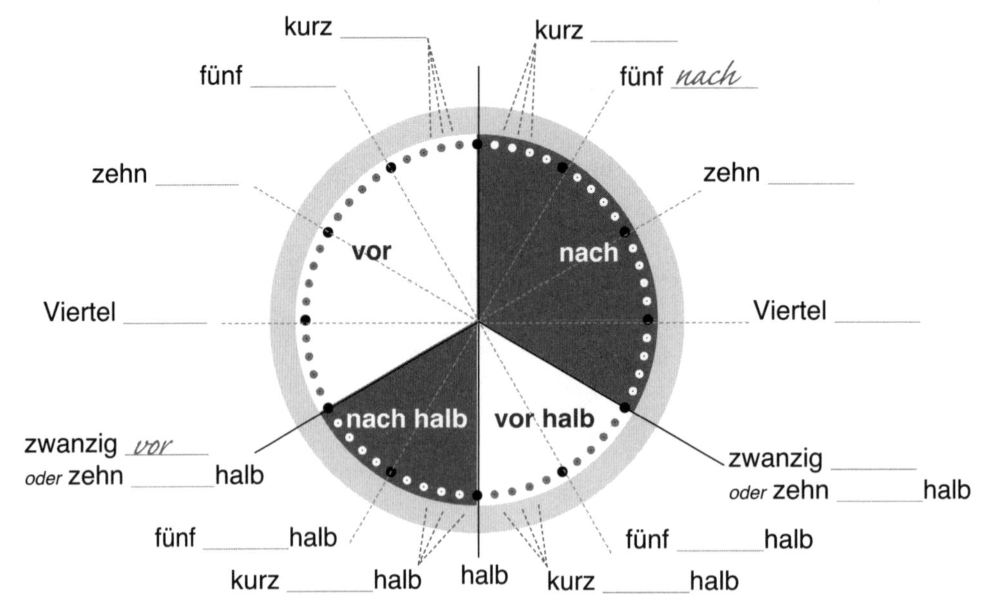

man schreibt	man sagt (offiziell)	oder	man sagt (informell)
1 Uhr 13 Uhr	Es ist **ein** Uhr. Es ist **dreizehn** Uhr.	*oder:*	Es ist **eins.**
6.30 Uhr 18.30 Uhr	Es ist **sechs** Uhr **dreißig.** ______	*oder*	Es ist **halb** sieben.
3.20 Uhr 15.20 Uhr	Es ist **drei** Uhr **zwanzig.** ______	*oder*	Es ist zwanzig **nach** drei. Es ist zehn **vor halb** vier.
7.40 Uhr 19.40 Uhr	______ ______	*oder*	Es ist zwanzig **vor** acht. Es ist zehn **nach halb** acht.
10.10 Uhr 22.10 Uhr	______ ______	*oder*	Es ist zehn **nach** zehn.
2.55 Uhr 14.55 Uhr	______ ______	*oder*	______
5.15 Uhr 17.15 Uhr	______ ______	*oder*	______
9.45 Uhr 21.45 Uhr	______ ______	*oder*	______
11.03 Uhr 23.03 Uhr	______ ______	*oder*	Es ist **kurz nach** ______
4.27 Uhr 16.27 Uhr	______ ______	*oder*	Es ist **kurz vor** ______

KURSBUCH B 4–B 6

12 Hören und ergänzen Sie.

5

20.30 Uhr ◆ 22.45 Uhr ◆ 20.00 Uhr ◆ 19.30 Uhr

Vera, Andrea und Thorsten möchten um ______ ins Kino gehen. Thorsten und Andrea sind um ______ da, aber Vera kommt nicht. Um ______ ruft Thorsten bei Vera an. Sie ist noch zu Hause. Sie glaubt, „halb acht“ heißt ______ . Aber das stimmt nicht. „Halb acht“ heißt ______ . Zum Glück gibt es eine Spätvorstellung um ______ . Vera, Andrea und Thorsten treffen sich um ______ .

C Hunde müssen draußen bleiben!

13 Ergänzen Sie.

darf ◆ muss ◆ kann

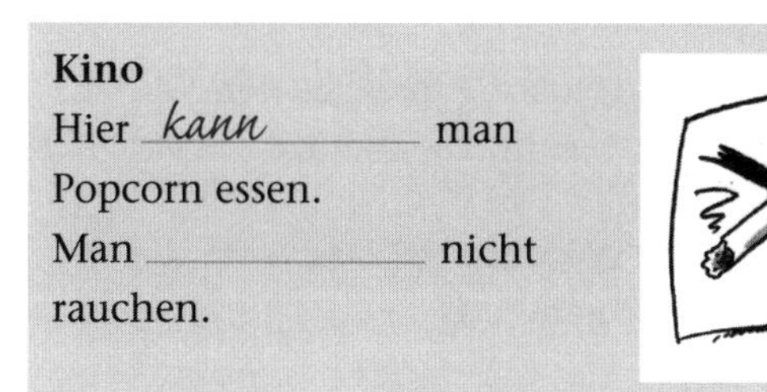

Kino
Hier *kann* ______ man Popcorn essen.
Man ______ nicht rauchen.

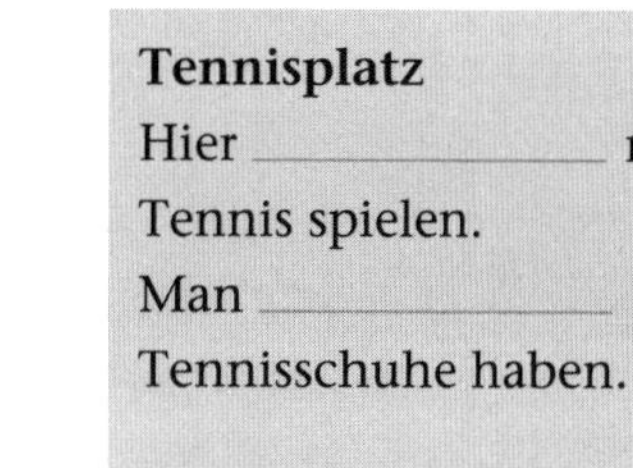

Tennisplatz
Hier ______ man Tennis spielen.
Man ______ Tennisschuhe haben.

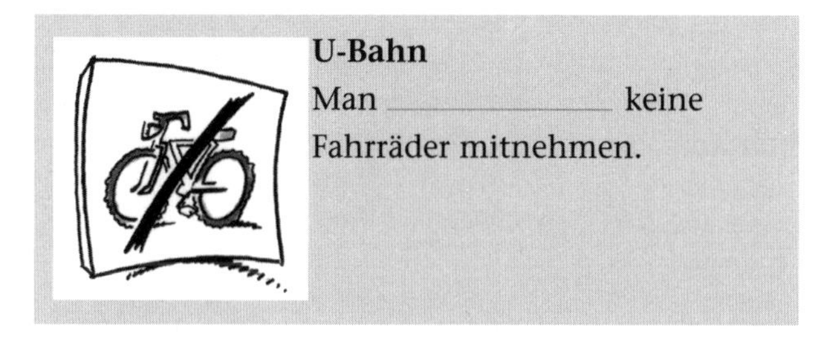

U-Bahn
Man ______ keine Fahrräder mitnehmen.

Supermarkt
Hier ______ man bis 20 Uhr einkaufen.
Man ______ mit einem Hund nicht in den Supermarkt gehen.

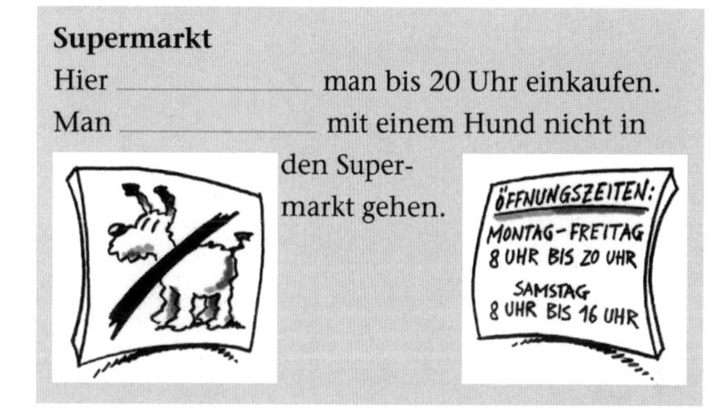

ÖFFNUNGSZEITEN:
MONTAG - FREITAG
8 UHR BIS 20 UHR
SAMSTAG
8 UHR BIS 16 UHR

Theater
Hier ______ man leise sein.
Man ______ kein Essen mitnehmen.

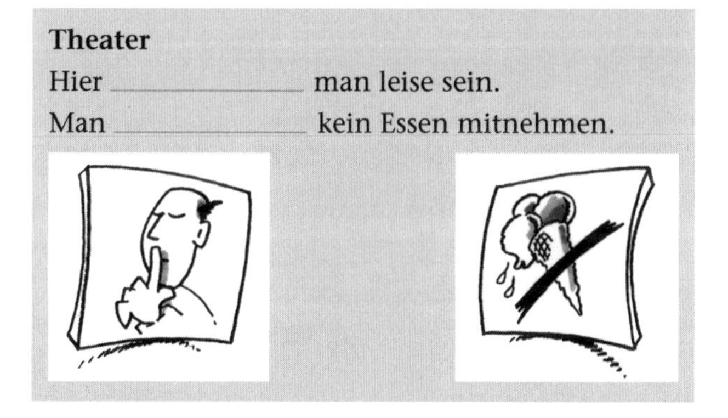

Museum
Hier ______ man nicht fotografieren.

14 Schreiben Sie Sätze.

1 ich – nicht – heute – möchte – tanzen
Ich möchte heute nicht tanzen ______.

2 er – für die Mathearbeit – lernen – muss
______.

3 sie – nicht schwimmen – kann
______.

4 wir – wollen – essen gehen – zusammen
Wollen ______?

5 Eva – will – gehen – mit Klaus – ins Kino
______.

6 ich – dir – eine Karte – auch – besorgen – soll
______?

15 Verben im Wörterbuch.

Sie kennen ein Verb nicht und möchten im Wörterbuch nachschauen.

Trink- ['trɪŋk-], *comb.fm.* drinking (vessel, glass, song, chocolate, water etc.); **T~becher** *m.* drinking cup, beaker; **T~gelage** *n.* drinking bout; **T~halm** *m.* drinking straw. '**t~en,** *v.tr. & i.irr.* (*haben*) (*p.* **trank,** *p.p.* **getrunken**) to drink (sth.); **sie gab ihm zu t.,** she gave him something to drink; **was t. Sie?** what would you like to drink? **auf j-n, etwas** *acc* **t.,** to drink to

Im Wörterbuch stehen nur die Infinitive von Verben, also *schreiben, trinken, gehen …*

Sie suchen zum Beispiel das Verb: *(du)* ***darfst.***

Streichen Sie die Endung *darf~~st~~*, dann haben Sie den Verb-Stamm „darf". Ergänzen Sie die Infinitiv-Endung *-en: darf +* ***en.***

'**darbringen,** *v.tr.sep.irr.16 Lit:* to offer (a sacrifice etc.); **j-m seine Huldigung d.,** to pay homage to s.o.
darein [da'rain, *emphatic* 'da:rain], *adv. Lit:* in(to) it; **sich d. ergeben,** to resign oneself.
darin [da'rin, *emphatic* 'da:rin], *F:* **drin,** *adv.*

Sie finden „darfen" nicht im Wörterbuch? Das Wort gibt es nicht. Oft ändert sich der Verb-Stamm.

ness; (*b*) coarse remark; crude joke.
deren ['de:rən], *see* **der, II, III.**
derer ['de:rər], *see* **der, II.**
dergleichen [de:r'glaiçən], *inv.* **I.** *dem. adj.* such; of this/that kind; **d. Dinge,** such things, things like that. **II.** *dem. pron.* such things.

Probieren Sie andere Vokale aus: ä, e, i, o, ö, u, ü …

Dörfchen ['dœrfçən], *n* **-s/-** small village; hamlet. '**d~lich,** *adj.* village (life etc.); (*bäuerlich*) rustic.
Dorn [dɔrn], *m* **1. -(e)s/-en** *Bot:* thorn; *Fig:* **j-m**

Durchzug, *m* **-(e)s/⁼e 1.** passage through. **2.** (*Zugluft*) through draught/*N.Am:* draft.
dürfen ['dyrfən], *modal aux. vb.* (*pres.* **darf, darfst, darf;** *pl* **dürfen, dürft, dürfen;** *p.* **durfte;** *p.p.* **gedurft/** + *infin.* **dürfen**) (*a*) **etwas tun d.,**

„dürfen" steht im Wörterbuch. Der Infinitiv heißt „dürfen".

Suchen Sie in Ihrem Wörterbuch die Infinitive.

spricht ◆ sollt ◆ isst ◆ arbeitet ◆ willst ◆ kann ◆ hilfst ◆ musst ◆ liest ◆ gibt

sprich~~t~~ sprich + en → ~~sprichen~~ → sprechen ✓

____

16 Ergänzen Sie.

~~wollen~~ ◆ muss ◆ kann (3x) ◆ soll ◆ können ◆ will ◆ Kannst

▲ Hallo, Claudia!
● Kerstin und ich *wollen* __________ heute Abend ins Kino gehen. Kommst du mit?
▲ Oh, tut mir leid, da __________ (1) ich nicht. Ich __________ (2) für die Deutscharbeit morgen lernen. Aber am Wochenende __________ (3) ich.
● Kerstin __________ (4) aber unbedingt heute ins Kino gehen. Wir __________ (5) ja am Wochenende in ein Konzert gehen.
▲ Gute Idee! __________ (6) du Tickets besorgen oder __________ (7) ich Karten kaufen?
● Kein Problem, ich habe Zeit. Ich __________ (8) morgen in die Stadt gehen und sie besorgen.

17 Hören und antworten Sie.

6

Ihr Kollege möchte mit Ihnen essen gehen. Sie möchten aber nicht.

Beispiele:

Ich möchte gerne mal mit Ihnen essen gehen. ↘ Sagen Sie, → was machen Sie denn heute Abend? ↘

Vielen Dank, → aber ich kann heute nicht, → ich muss meine Schwester vom Flughafen abholen. ↘

Und morgen Abend? ↗

Tut mir leid, → da ***kann*** *ich auch nicht. → Da* ***muss*** *ich Spanisch lernen. ↘*

Und am Mittwoch? ↗

…

heute Abend:	meine Schwester vom Flughafen abholen	am Freitag:	die Wohnung aufräumen
morgen Abend:	Spanisch lernen	am Samstag:	einer Freundin beim Umzug helfen
am Mittwoch:	einkaufen gehen	am Sonntag:	mal ausruhen
am Donnerstag:	Geschäftskollegen aus Köln die Stadt zeigen	nächste Woche:	meine Mutter im Krankenhaus besuchen

KURSBUCH C 5

D Zwischen den Zeilen

18 Was passt zusammen? Hören und markieren Sie.

A

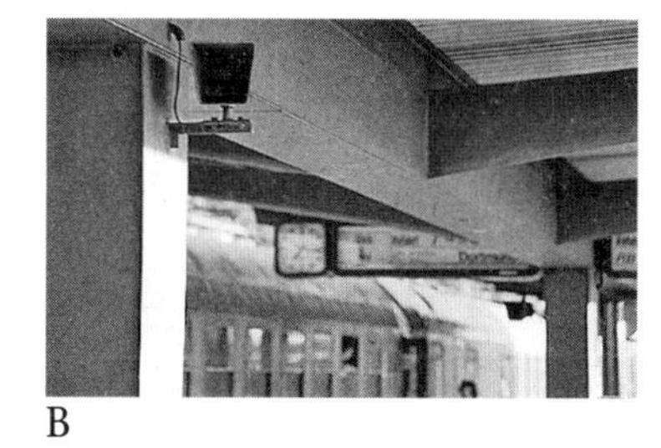
B

C

D

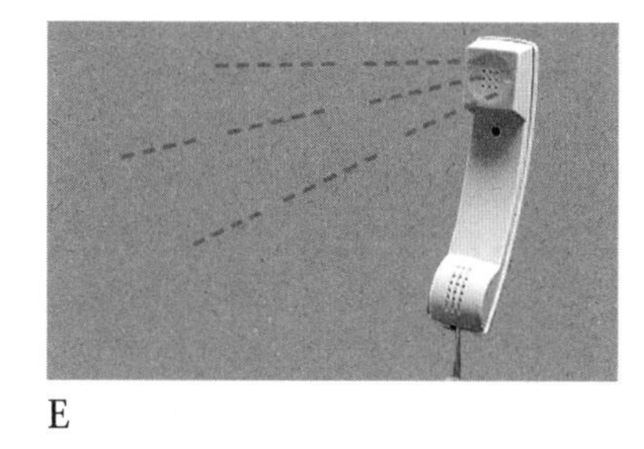
E

Dialog	Bild	Uhrzeit offiziell „neun Uhr dreißig“	Uhrzeit informell „halb zehn“
1	C	X	
2			
3			
4			
5			

Hören Sie die Dialoge noch einmal. Wie sagen die Leute die Uhrzeiten?

19 Was sagt man *nicht*? Markieren Sie.

1 **9.35**
- a) neun Uhr fünfunddreißig
- X b) fünfunddreißig nach neun
- c) fünf nach halb zehn

2 **10.25**
- a) fünfundzwanzig nach zehn
- b) zehn Uhr fünfundzwanzig
- c) fünf vor halb elf

3 **21.15**
- a) Viertel nach neun
- b) einundzwanzig Uhr fünfzehn
- c) Viertel nach neun Uhr

4 **22.50**
- a) zehn vor elf
- b) zweiundzwanzig Uhr fünfzig
- c) zwanzig nach halb elf

5 **7.40**
- a) zwanzig vor acht
- b) zehn nach halb acht
- c) vierzig nach sieben

6 **19.04**
- a) kurz nach sieben
- b) kurz nach neunzehn
- c) neunzehn Uhr vier

20 Ergänzen Sie die Uhrzeit in der richtigen Form.

07:30 
1 Bayern 3, Schlagzeilen um ______________________________ .

14:15 
2 Sie hat jeden Tag von ______________________________ bis halb vier Deutschunterricht.

11:16 
3 Der ICE 997 aus Hannover, planmäßige Ankunft ______________________________ auf Gleis 8, hat voraussichtlich zehn Minuten Verspätung.

17:45 
4 Wir treffen uns so um ______________________________ , dann haben wir etwas Zeit und können vor dem Kino noch ein Bier trinken gehen.

15:42 
5 Wie viel Uhr ist es bitte? – Genau ______________________________ .

Jetzt hören und vergleichen Sie.

E Termine, Termine!

21 Ergänzen Sie.

Jahr *(n)*, -e ◆ Monat *(m)*, -e ◆ Woche *(f)* -n ◆ Tag *(m)*, -e ◆ Stunde *(f)*, -n ◆ Minute *(f)*, -n ◆ Sekunde *(f)*, -n

Ein Jahr	hat 12	*Monate*.	______	hat 24	______.
______	hat 4	______.	______	hat 60	______.
Eine	hat 7	______.	______	hat 60	______.

KURSBUCH E 1–E 3

22 Ergänzen Sie die Tage und schreiben Sie.

Die Ordinalzahlen

1–19: **-te**

1. der ers**te**
2. der zwei**te**
3. der **dritte**
4. der vier**te**
5. der fünf**te**
6. der sechs**te**
7. der **siebte**
8. der ach**te**
9. der neun**te**
10. der zehn**te**

11. der elf**te**
…
16. der sechzehn**te**
17. der siebzehn**te**
…

20–100: **-ste**

20. der zwanzig**ste**
21. der einundzwanzig**ste**
…
31. der einunddreißig**ste**
…

Woche	JANUAR 1	2	3	4	5
Mo		6	13	20	27
Di		7	14	21	28
Mi	1	8	15	22	29
Do	2	9	16	23	30
Fr	3	10	17	24	31
Sa	4	11	18	25	
So	5	12	19	26	

Woche	FEBRUAR 5	6	7	8	9
Mo		3	10	17	24
Di		4	11	18	25
Mi		5	12	19	26
Do		6	13	20	27
Fr		7	14	21	28
Sa	1	8	15	22	
So	2	9	16	23	

Woche	MÄRZ 9	10	11	12	13	14
Mo		3	10	17	24	31
Di		4	11	18	25	
Mi		5	12	19	26	
Do		6	13	20	27	
Fr		7	14	21	28	
Sa	1	8	15	22	29	
So	2	9	16	23	30	

Woche	APRIL 14	15	16	17	18
Mo		7	14	21	28
Di	1	8	15	22	29
Mi	2	9	16	23	30
Do	3	10	17	24	
Fr	4	11	18	25	
Sa	5	12	19	26	
So	6	13	20	27	

Woche	MAI 18	19	20	21	22
Mo		5	12	19	26
Di		6	13	20	27
Mi		7	14	21	28
Do	1	8	15	22	29
Fr	2	9	16	23	30
Sa	3	10	17	24	31
So	4	11	18	25	

Woche	JUNI 22	23	24	25	26	27
Mo		2	9	16	23	30
Di		3	10	17	24	
Mi		4	11	18	25	
Do		5	12	19	26	
Fr		6	13	20	27	
Sa		7	14	21	28	
So	1	8	15	22	29	

Woche	JULI 27	28	29	30	31
Mo		7	14	21	28
Di	1	8	15	22	29
Mi	2	9	16	23	30
Do	3	10	17	24	31
Fr	4	11	18	25	
Sa	5	12	19	26	
So	6	13	20	27	

Woche	AUGUST 31	32	33	34	35
Mo		4	11	18	25
Di		5	12	19	26
Mi		6	13	20	27
Do		7	14	21	28
Fr	1	8	15	22	29
Sa	2	9	16	23	30
So	3	10	17	24	31

Woche	SEPTEMBER 36	37	38	39	40
Mo	1	8	15	22	29
Di	2	9	16	23	30
Mi	3	10	17	24	
Do	4	11	18	25	
Fr	5	12	19	26	
Sa	6	13	20	27	
So	7	14	21	28	

Woche	OKTOBER 40	41	42	43	44
Mo		6	13	20	27
Di		7	14	21	28
Mi	1	8	15	22	29
Do	2	9	16	23	30
Fr	3	10	17	24	31
Sa	4	11	18	25	
So	5	12	19	26	

Woche	NOVEMBER 44	45	46	47	48
Mo		3	10	17	24
Di		4	11	18	25
Mi		5	12	19	26
Do		6	13	20	27
Fr		7	14	21	28
Sa	1	8	15	22	29
So	2	9	16	23	30

Woche	DEZEMBER 49	50	51	52	53
Mo	1	8	15	22	29
Di	2	9	16	23	30
Mi	3	10	17	24	31
Do	4	11	18	25	
Fr	5	12	19	26	
Sa	6	13	20	27	
So	7	14	21	28	

Mo = *Montag*
Di = ______
Mi = ______
Do = ______
Fr = ______
Sa = ______
So = ______

1.5. *Der erste Mai ist ein Donnerstag.*
2.7. ______
3.9. ______
4.4. ______
7.8. ______
10.10. ______
11.2. ______
12.1. ______
17.3. ______
23.11. ______
29.6. ______
16.12. ______

23 Wann ist welcher Feiertag? Ergänzen Sie die Daten.

Das Datum

Man schreibt:	**Man sagt:**
14. 2. *oder* 14. Februar	Heute ist der vierzehnte Zweite. *oder* Heute ist der vierzehnte Februar.
14. 2. Valentinstag	**Am** vierzehnt**en** Februar ist Valentinstag. *oder* **Am** vierzehnt**en** Zweit**en** ist Valentinstag.

1. 1.	*Am ersten Januar*	ist Neujahr.
14. 2. ♥	*Am vierzehnten*	ist Valentinstag.
8. 3. ♀	______	ist Internationaler Frauentag.
1. 5.	______	ist Tag der Arbeit.
1. 6.	______	ist Internationaler Kindertag.
1. 8.	______	ist Bundesfeiertag in der Schweiz.
3. 10.	______	ist Tag der deutschen Einheit.
26. 10.	______	ist Nationalfeiertag in Österreich.
25. 12. und 26. 12.	______	ist Weihnachten.
31. 12.	______	ist Silvester.
______	______	habe ich Geburtstag.

Welche Feiertage gibt es bei Ihnen? Schreiben Sie.

KURSBUCH E 4–E 6

24 Ergänzen Sie die Tabelle.

Modalverben	können	müssen	wollen	sollen	dürfen	möchten
ich					*darf*	*möchte*
du				*sollst*		*möchtest*
sie/er/es, man				*soll*		
wir		*müssen*		*sollen*	*dürfen*	
ihr			*wollt*		*dürft*	*möchtet*
sie	*können*				*dürfen*	
Sie		*müssen*	*wollen*	*sollen*		*möchten*

25 Ergänzen Sie die Modalverben in der richtigen Form.

1 *Kannst* ______ (können) du schwimmen?
2 Ich ______ (müssen) um 19 Uhr zu Hause sein.
3 ______ (möchten) du heute tanzen gehen?
4 Wir ______ (können) auch morgen ins Kino gehen.
5 Tut mir leid, da ______ (können) ich nicht, da ______ (müssen) ich arbeiten.
6 Er ______ (dürfen) nur bis 23 Uhr ausgehen.
7 ______ (sollen) ich dir eine Karte besorgen?
8 Wir ______ (können) auch erst um 11 gehen.
9 ______ (wollen) ihr mit uns essen gehen?
10 Der Arzt sagt, er ______ (sollen) nicht so viel rauchen.
11 Ina ______ (wollen) heute Abend tanzen gehen.
12 Ihr ______ (sollen) mehr studieren!

26 Ergänzen Sie die Modalverben in der richtigen Form.

müssen ◆ können ◆ dürfen ◆ sollen ◆ wollen/möchten

1 Mein Zug fährt um 6 Uhr morgens. Da *muss* ich früh aufstehen.
2 ___ ich auch mit Scheck bezahlen?
3 Im Sommer ___ ich nicht in den Urlaub fahren. Ich ___ arbeiten.
4 Du ___ nachts nicht allein im Park spazieren gehen. Das ist gefährlich!
5 In einem Krankenhaus ___ man nicht rauchen.
6 Sie ist erst 12. Sie ___ noch nicht in die Disco gehen.
7 In Deutschland ___ du deinen Führerschein mit 17 machen.
8 ___ du mir helfen? Ich verstehe das nicht.
9 Meine Mutter sagt, ich ___ Musik studieren. Aber ich ___ Medizin studieren!
10 Es ist schon 8 Uhr! Gleich beginnt der Kurs. Wir ___ gehen!

27 Ergänzen Sie die passenden Modalverben in der richtigen Form.

● Wir gehen ins Kino. ___ du nicht auch kommen?
■ Nein, ich ___ leider nicht. Ich ___ ins Bett. Ich habe doch jetzt wieder eine Arbeit.
● Wirklich? Du hast wieder eine Stelle? Das ist ja toll!
■ Na ja, ich finde das nicht so toll. Ich arbeite im Lager. Ich ___ Ersatzteile aus den Regalen holen. Von morgens um sieben bis abends um fünf.
● Aber du ___ doch sicher mal eine Pause machen, oder?
■ Ja, aber erst um halb elf, zehn Minuten. Vorher ___ ich ohne Pause arbeiten. Und ich ___ nicht rauchen und auch kein Bier trinken! Das ist der absolute Stress!
● Na ja, so schlimm wird es doch nicht sein ...
■ Du hast ja keine Ahnung! Immer hinein ins Lager, das Ersatzteil suchen, zurück zum Schalter, Lagerschein unterschreiben ... Und da stehen immer zwei oder drei oder vier, und alle ___ ihre Teile sofort haben, keiner ___ warten ... Und dabei ___ ich auch keinen Fehler machen. Für jedes falsche Teil ___ ich einen Euro zahlen.
● Ja, ich sehe schon, deine Arbeit ist wirklich sehr anstrengend. Wie lange machst du das denn schon?
■ Nächste Woche am Montag um sieben Uhr ___ ich anfangen.

KURSBUCH E 7

F Der Ton macht die Musik

28 Hören Sie, sprechen Sie nach und markieren Sie.

9

[ai] ein Eis Zeit Mai meinst leid dabei
[ɔy] neun euch heute Häuser Kräuter teuer Leute
[au] raus laut genau glaube traurig Staubsauger Kaufhaus

> **!** [ai] schreibt man fast immer ____ und manchmal ____ .
> [ɔy] schreibt man ____ oder ____ .
> [au] schreibt man immer ____ .

Diphthonge sind Doppelvokale. Man spricht sie zusammen.

Heute habe ich **auch** keine **Zeit**.

29 Üben Sie die Diphthonge.

[ai]	Sagen Sie mit Pausen:	was – ist, was – ist, was – ist, ...
	... mit kurzen Pausen:	a-is, a-is, a-is, ...
	... ohne Pausen:	ais, ais, ais, Eis, Eis, Eis, ...
	Lesen Sie laut:	Ein Eis im Mai? ↗ Ich bin dabei! ↘ Tut mir leid,→ keine Zeit! ↘
[ɔy]	Sagen Sie mit Pausen:	Kino – in, Kino – in, Kino – in, ...
	... mit kurzen Pausen:	no-in, no-in, no-in, ...
	... ohne Pausen:	noin, noin, noin, neun, neun, neun, ...
	Lesen Sie laut:	Wir treffen euch heute um neun. ↘ Die Kräuter sind heute sehr teuer. ↘
[au]	Sagen Sie mit Pausen:	Salat – gut, Salat – gut, Salat – gut, ...
	... mit kurzen Pausen:	la-ut, la-ut, la-ut, ...
	... ohne Pausen:	laut, laut, laut, laut, laut, laut, ...
	Lesen Sie laut:	Ich glaube,→ der Staubsauger ist zu laut. ↘ Raus aus dem Haus! ↘ Wir gehen mal aus! ↘

30 Hören Sie und sprechen Sie nach.

nein – neun   Leid – laut   aus – Eis   raus – Reis   seit – Mai   auch – euch
Haus – Häuser   Raum – Räume   laute – Leute   beide – Gebäude   neu – genau

31 Ergänzen Sie die fehlenden Diphthonge.

Was h____ßt „die d____tschsprachigen Länder“?
Das w____ß ich ____ch nicht gen____ .
Ich glaube, das sind D____tschland, Österr____ch und die Schw____z.

Sch____ mal, die ____nb____küche! Was m____nst du?
Sch____ mal, der Pr____s! Die ist ____nfach zu t____er.

Hören Sie, vergleichen Sie und üben Sie zu zweit.

Testen Sie sich!

Was ist richtig: a, b oder c? Markieren Sie bitte.

Beispiel:
Wie heißen Sie?
Mein Name ________ Schneider.
- [ ] a) hat
- [x] b) ist
- [ ] c) heißt

1
● Den Beruf Flugbegleiterin finde ich interessant.
■ Ja, eine Flugbegleiterin ________________,
aber sie hat ________________.
- [ ] a) hilft den Menschen … keine Zeit für die Familie
- [ ] b) arbeitet freiberuflich … viele Fans
- [ ] c) reist viel … keine festen Arbeitszeiten

2
● Chirurg, das ist mein Traumberuf!
■ Ja, den Beruf finde ich auch interessant.
Ein Chirurg ________ den Menschen helfen,
aber er ________ oft rund um die Uhr arbeiten.
- [ ] a) kann … muss
- [ ] b) muss … kann
- [ ] c) kann … kann

3
● Peter ist oft ______ Theater. Er besucht alle Vorstellungen.
■ Ja, er möchte Schauspieler ______ Theater werden.
- [ ] a) in … bei
- [ ] b) beim … im
- [ ] c) im … beim

4
● Ich lebe seit fünf Jahren ______ Frankfurt.
■ Und wo arbeiten Sie?
● ______ Mainz. Ich bin Kameramann ______ ZDF.
- [ ] a) im … Beim … im
- [ ] b) in … In … beim
- [ ] c) bei … Bei … in

5
● Ich gehe gern spazieren.
■ Ich nicht. Aber ich gehe ________________.
- [ ] a) gern tanzen
- [ ] b) nicht gern tanzen
- [ ] c) gern spazieren

6
● Entschuldigung, wie viel ________ ist es, bitte?
■ Genau halb drei.
- [ ] a) später
- [ ] b) Uhr
- [ ] c) Zeit

7
● Wann beginnt der Film?
■ Um neunzehn Uhr fünfzehn.
● Also um ________________? Gut, bis dann.
- [ ] a) Viertel nach sieben
- [ ] b) Viertel vor sieben
- [ ] c) halb acht

8
● Möchtest du ______ Samstag mit mir ______ Theater gehen?
■ Nein, tut mir leid, da kann ich nicht.
- [ ] a) an … in
- [ ] b) am … im
- [ ] c) am … ins

9
● ________ wir am Wochenende mal zusammen ausgehen?
■ Nein, das geht leider nicht. Am Wochenende ________ ich arbeiten.
- [ ] a) Müssen … will
- [ ] b) Wollen … muss
- [ ] c) Sollen … kann

10
● Kommst du mit ins Konzert?
■ Nein, ich ________ leider nicht mitkommen.
Ich ________ für die Mathearbeit lernen.
- [ ] a) muss … muss
- [ ] b) soll … darf
- [ ] c) darf … muss

11
● Du gehst doch auch am Samstag in das Jazz-Konzert.
______ ich dir auch eine Karte besorgen?
■ Nein, vielen Dank. Ich habe schon eine Karte.
- [ ] a) Soll
- [ ] b) Will
- [ ] c) Muss

12
● Ich habe ______ Sommer Geburtstag.
■ Und wann genau?
● ______ dreiundzwanzigsten Juli.
- [ ] a) am … Im
- [ ] b) im … Am
- [ ] c) in … An

13
● Wann machen Sie Urlaub?
■ ______ 15. ______ 29. August.
- [ ] a) Am … ab
- [ ] b) Von … bis
- [ ] c) Vom … bis zum

14
● Kannst du mir am Wochenende beim Umzug helfen?
■ Tut mir leid, aber ich bin ________ Freitag ______ Dienstag in Berlin.
- [ ] a) von … bis
- [ ] b) vom … zum
- [ ] c) ab … am

15
● Ich ______ einen Termin für nächste Woche.
■ Wann ________ Sie denn kommen?
- [ ] a) möchten … könnten
- [ ] b) möchte … können
- [ ] c) möchte … kann

Selbstkontrolle

1 Verabredungen

Sie möchten mit einem Freund / einer Freundin ______________ gehen. Was sagen Sie?

____

Jemand fragt Sie: „Möchten Sie morgen Abend mit mir essen gehen?" Was sagen Sie?

____

2 „bei" oder „in"

Jemand fragt Sie: „Wo wohnen Sie? Wo arbeiten Sie?" Antworten Sie bitte.

____

3 Modalverben

müssen, ____

Ergänzen Sie die Sätze.

Ich will *ins Kino gehen* ______________. Aber du kannst nicht, du musst ______________.
Du willst ______________. Aber ich ______________, ______________.
Er ______________. Aber sie ______________, ______________.
Wir ______________. Aber ihr ______________, ______________.
Ihr ______________. Aber wir ______________, ______________.
Hat denn niemand Zeit?

4 Zeitangaben

Wann haben Sie Geburtstag? ______________
Wann feiert man bei Ihnen Neujahr? ______________
Wann sind bei Ihnen Sommerferien? ______________
Wann machen Sie Urlaub? ______________
Wann ist Ihr Deutschkurs? ______________

Ergebnis:

Ich kann ...	✔✔	✔	–
1 mich mit jemandem verabreden.			
2 sagen, wo ich wohne und wo ich arbeite.			
3 über Wünsche, Notwendigkeiten und Möglichkeiten sprechen.			
4 Zeitangaben machen.			
Außerdem kann ich ...			
ein Angebot oder einen Vorschlag machen.			
etwas erlauben oder verbieten.			
über Vorteile und Nachteile im Beruf sprechen.			

Lernwortschatz

Kursiv gedruckte Wörter sind Wortschatz der Niveaustufe A2 oder B1. Diese Wörter müssen Sie nicht für die Prüfung **Start Deutsch 1 / Start Deutsch 1z** lernen.

Nomen

April der
Arbeit die, -en
Arbeitszeit, die, -en
Auge das, -n
August der
Ausbildung die, -en
Ausflug der, ¨-e
Bahn die
(bei der Deutschen Bahn)
Chef der, -s
Datum das, Daten
Dezember der
Dienstag der, -e
Disco die, -s
Donnerstag der, -e
Einkommen das, -
Eltern die (nur Plural)
Erfahrung die, -en
Erlaubnis die (nur Singular)
Fax das, -e
Februar der
Fernsehen das (nur Singular)
Film der, -e
Freitag der, -e
Freizeit die (nur Singular)
Frühling der (nur Singular)
Fußball der (hier Singular)
Hand die, ¨-e
Hausfrau die, -en
Herbst der
Hilfe die, -n
Hotel das, -s
Interesse das, -en
Januar der
Juli der
Juni der
Kalender der, -
Kino das, -s
Konzert das, -e
Krankenhaus das, ¨-er
Lehrer der, -
Mai der
März der
Mensch der, -en
Mittag der
Mittwoch der, -e
Möglichkeit die, -en
Montag der, -e
Museum das, Museen
Nachteil der, -e
November der
Oktober der
Park der, -s
Partnerin die, -nen
Party die, -s
Praxis die, Praxen
Restaurant das, -s
Samstag der, -e
Schauspieler der, -
Schule die, -n
Sekretärin die, -nen
September der
Sommer der, -
Sonntag der, -e
Sport der (nur Singular)
Stress der (nur Singular)
Stelle die, -n
Team das, -s

Technik die (nur Singular) ______
Tennis (das) ______
Termin der, -e ______
Test der, -s ______
Theater das, - ______
Uhr die, -en ______
Uhrzeit die, -en ______
Urlaub der (nur Singular) ______
Veranstaltung die, -en ______
Verbot das, -e ______
Vormittag der, -e ______
Vorschlag der, ¨-e ______
Vorstellung die, -en ______
Vorteil der, -e ______
Wecker der, - ______
Winter der, - ______
Wochenende das, -n ______
Zoo der, -s ______

Verben

abholen ______
anfangen ______
ausgehen ______
besorgen ______
dürfen ______
einziehen ______
holen ______
können ______
mitkommen ______
müssen ______
packen ______
(den Koffer packen)
rauchen ______
reisen ______
ruft ... an (→ anrufen) ______
schwimmen ______
sollen ______
spazieren gehen ______
studieren ______
tanzen ______
testen ______
unterschreiben ______
verdienen ______
werden ______
(Schauspieler werden)
wollen ______

Adjektive

beste ______
dringend ______
dumm ______
eigen ______
frei ______
ruhig ______
später ______

andere Wörter / Ausdrücke

ab ____________
(ab 24. August)
abends ____________
alleine ____________
ein anderes Mal ____________
feste Arbeitszeiten ____________
kaputt ____________
(keine) Lust haben ____________
möglichst ____________
morgen ____________
nachts ____________
nie ____________

rund um die Uhr ____________
schade ____________
Schluss machen ____________
selten ____________
spätestens ____________
um ____________
(um 17 Uhr)
viel Betrieb haben ____________
Viertel vor / nach ____________
von Montag bis Mittwoch ____________
wie spät? ____________
Wie viel Uhr ... ? ____________

Familie und Haushalt

A Familienverhältnisse

1 Suchen Sie die Wörter und ergänzen Sie die fehlenden Buchstaben und die Plurale.

E	R	O	N	K	E	L	G	E	T	L	Z	W
N	I	C	H	T	E	T	E	R	E	G	S	F
K	H	T	S	S	A	L	N	C	R	R	C	B
E	J	O	C	C	N	E	F	F	E	O	H	R
L	E	C	H	H	E	S	D	Ü	W	ß	W	U
S	C	H	W	E	S	T	E	R	O	V	Ä	D
O	Y	T	A	N	T	E	ß	M	A	A	G	E
H	C	E	G	R	O	ß	M	U	T	T	E	R
N	N	R	E	E	M	U	C	H	K	E	R	N
F	E	R	R	R	H	W	Ö	L	M	R	I	F
L	R	E	G	T	E	R	V	B	C	H	N	E

	die ♀	der ♂
Großeltern	Großmutter, ¨–	Großvater,
Eltern	Mutter, ¨–	V_t_r
Geschwister	Schw_st_r	Br_d_r
Kinder	T_cht_r	S_hn
Enkelkinder	_nk_lt_cht_r	_nk_ls_hn
andere	T_nt_	_nk_l
	Schw_g_r_n	Schw_g_r
	N_cht_	N_ff_

2 Wer ist das? Ergänzen Sie.

1 Mein Bruder ist mit ihr verheiratet. Sie ist *meine* ____________
2 Mein Vater hat eine Schwester. Sie ist ____________
3 Meine Geschwister: Das sind ____________
4 Meine Nichte hat einen Bruder. Das ist ____________
5 Meine Kinder: Das sind ____________
6 Mein Sohn hat eine Tochter. Das ist ____________
7 Meine Tochter ist mit ihm verheiratet. Er ist *mein Schwiegersohn.*
8 Die Eltern von meiner Frau oder von meinem Mann: ____________
9 Meine Tochter hat einen Sohn. Er ist ____________
10 Meine Mutter hat einen Bruder. Er ist ____________

3 Ergänzen Sie den Text und ordnen Sie die Bilder den Personen zu.

A

mein ____________

B ____________

Meine Familie

Das ist *meine* ____________ Familie.
Meine ____________ *Eltern* ____________ (1) sind seit 20 Jahren verheiratet.
____________ ____________ (2) ist Ingenieur von Beruf und ____________ ____________ (3) Malerin.
Ich habe zwei Geschwister. ____________ ____________ (4) ist 15 Jahre alt und möchte Fotomodell werden.
____________ ____________ (5) ist erst 2 Jahre alt.
____________ (6) Großeltern wohnen in Hamburg. Sie besuchen uns manchmal am Wochenende mit dem Motorrad. ____________ ____________ (7) heißt Peter und ____________ ____________ (8) Anna.

C ____________

D ____________

E ____________

4 Lösen Sie die Rätsel.

KURSBUCH A 4

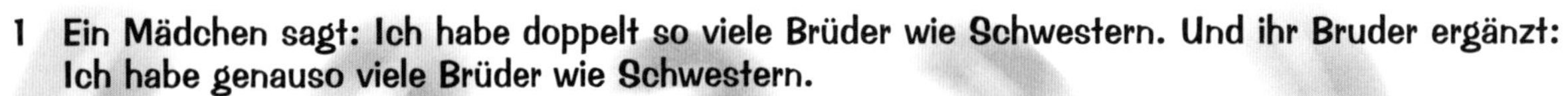

1 Ein Mädchen sagt: Ich habe doppelt so viele Brüder wie Schwestern. Und ihr Bruder ergänzt: Ich habe genauso viele Brüder wie Schwestern.
Wie viele Jungen und Mädchen gibt es in der Familie?

2 Ein Junge sagt: Ich bin doppelt so alt wie mein kleiner Bruder und halb so alt wie meine große Schwester. Meine Mutter wird bald vierzig. Dann ist sie genau doppelt so alt wie meine große Schwester.
Wie alt sind die Kinder?

3 Ein Kind sagt: Ich habe drei Tanten und fünf Onkel. Meine Mutter hat genauso viele Brüder wie Schwestern. Mein Vater hat halb so viele Schwestern wie meine Mutter.
Wie viele Schwestern und wie viele Brüder hat meine Mutter?

Jetzt machen Sie ein Familien-Rätsel zu Ihrer Familie.

=	*genauso … wie*
2 x	*doppelt so … wie*
1/2 x	*halb so … wie*

5 Ergänzen Sie.

Julius und Luisa sind Zwillinge. Sie haben noch eine kleine Schwester.

1 Julius ist *genauso* ____________ alt wie Luisa.
2 Luisa ist ____________ alt wie Anna.
3 Luisa ist ____________ groß wie Julius.
4 Anna ist ____________ alt wie Julius.

B Pläne

6 Ergänzen Sie.

1 Kannst du mir helfen? Ich kann _meinen_ Pass nicht finden.
2 Susanne schreibt _ihrer_ Freundin jeden Tag eine E-Mail.
3 Michael besucht im August ______en Onkel in Paris.
4 Herr Schmitt, wann kommt denn ______e Frau nach Hause?
5 Was macht ihr am Wochenende? – Wir besuchen am Sonntag ______e Großeltern.
6 Ich möchte gerne ______e Familie kennenlernen. Schickst du mir ein Foto?
7 Claudia versteht sich nicht gut mit ______em Bruder, mit ______er Schwester versteht sie sich besser.
8 Michael fährt dieses Jahr mit ______en Eltern in den Urlaub.

7 Ergänzen Sie die Possessiv-Artikel im Nominativ.

Das sind … und

	Mutter	Vater	Baby	Eltern
ich	meine			
du		dein		
sie				
er				seine
es				
wir			unser	
ihr				
sie				
Sie				

8 Ergänzen Sie die Possessiv-Artikel im Dativ.

1 Ich fahre mit _meiner_ Familie nach Österreich.
2 Er wohnt noch bei ______ Mutter.
3 Philipp versteht sich am besten mit ______ Freund Kai.
4 Am Sonntag geht Claudia zu ______ Großmutter zum Essen.
5 Fährst du mit ______ Eltern oder mit ______ Freund in Urlaub?
6 Guten Tag, Frau Schlüter. Wie geht's denn ______ Mann?
7 Karl lässt sich Zeit mit ______ Ausbildung.
8 Christine ist Studentin. In ______ Freizeit spielt sie Tennis.
9 Herr und Frau Werner wollen im Sommer mit ______ Enkelkindern nach Italien fahren.
10 Geht ihr wieder zu ______ Freunden?

9 Was nehmen die Personen auf eine einsame Insel mit? Schreiben Sie Sätze.

Julian

Frau und Herr Schmitt

ich

Die einsame Insel

Frau Neser

Susanne

Herr Santos

wir

1 Ich *nehme meinen Zeichenblock und meine Stifte mit*.
2 Julian *nimmt* ___.
3 Frau Neser ___.
4 Herr Santos ___.
5 Susanne ___.
6 Frau und Herr Schmitt ___.
7 Wir ___.

10 Ergänzen Sie die Possessiv-Artikel in den Porträts.

Carla Marzullo
Carla ist Schülerin am Graf Rasso Gymnasium. *Ihre* (1) Pläne (*Pl.*) nach dem Abi? Sie möchte viel reisen. Wie soll ___ (2) Leben (*n*) in 20 Jahren aussehen? Carla möchte mit ___ (3) Traummann (*m*) und ___ (4) fünf Kindern (*Pl.*) in der Toskana leben. Und wie soll ___ (5) Traummann sein? Muskulös, ehrlich und sensibel! Und was nimmt sie auf eine einsame Insel mit? ___ (6) Lieblingsbücher (*Pl.*), ___ (7) Tagebuch (*n*) und ___ (8) Zeichenblock (*m*).

Sebastian Schön
Er ist ein Sport-Ass. ___ (9) Hobbys (*Pl.*) sind Surfen, Bungee-Springen, Basketball und Tauchen. ___ (10) Leben (*n*) in 20 Jahren? Es soll vor allem nicht so langweilig sein. ___ (11) Berufswunsch (*m*)? Fotograf oder Journalist. ___ (12) Pläne (*Pl.*) für die Zukunft? Nach dem Abi will er erst einmal ein Jahr nichts machen. Was nimmt er auf eine einsame Insel mit? Natürlich ___ (13) Surfbrett (*n*), ___ (14) Tauchausrüstung (*f*) und ___ (15) Freundin (*f*).

KURSBUCH B 4

11 Lesen Sie die Anzeigen und beantworten Sie die Fragen.

1 Was sind Brieffreundschaften?
2 Haben Sie Brieffreunde? Berichten Sie.
3 Sie suchen Brieffreunde. Was können Sie machen?

Interesse an netten Brieffreundschaften weltweit? Info: Max Dirnhofer, Blumenstraße 44, 70182 Stuttgart

Weltweite Briefkontakte! Infos: International Penfriends, Postlagernd, 89073 Ulm

12 Lesen Sie den Brief und markieren Sie.

		richtig	falsch
1	Carla sucht Brieffreunde.	X	
2	Carla ist Schülerin.		
3	Sie kann nur auf Deutsch schreiben.		
4	Carla bittet um Informationen und Adressen.		
5	Carla wohnt in Ulm.		

1 — 7. Juli 200...

2 — Carla Martin
Ricarda-Huch-Str. 7
79114 Freiburg
Tel. (07 61) 58 03 96

3 — An die
International Penfriends
Postlagernd

89073 Ulm

4 — Informationen über Briefkontakte

5 — Sehr geehrte Damen und Herren,

6 — ich habe Ihre Anzeige in der „Brigitte" gelesen und bin sehr interessiert an internationalen Brieffreundschaften. Wie funktioniert Ihr System eigentlich? Ist die Vermittlung kostenlos? Wann bekomme ich die ersten Adressen? – Sie sehen, ich habe viele Fragen.
Vielleicht brauchen Sie gleich ein paar Daten von mir? Ich bin 18 Jahre alt, gehe aufs Gymnasium und mache nächstes Jahr mein Abitur. Ich habe einen Bruder (15) und eine Schwester (12). Meine Hobbys sind Reiten, Lesen und Kino. Meine Lieblingsfächer in der Schule sind alle Sprachen, außerdem Sport und Geschichte.
Bitte schicken Sie mir weitere Informationen oder am besten gleich Adressen – ich kann auch auf Englisch oder Französisch schreiben. Vielen Dank für Ihre Bemühungen.

7 — Mit freundlichen Grüßen

8 — Carla Martin

13 Was steht wo? Schauen Sie sich den Brief noch einmal an und ergänzen Sie.

2 Absender ☐ Anrede ☐ Betreff ☐ Datum ☐ Empfänger ☐ Gruß ☐ Text ☐ Unterschrift

14 Lesen Sie den Brief und machen Sie Notizen.

Name ______________________

Alter ______________________

Wohnort ______________________

Zukunftspläne ______________________

Familie ______________________

Hobbys ______________________

Lieblingsfächer ______________________

andere Informationen ______________________

Montpellier, den 1.8.2004

Hallo Carla,

ich habe Deine Adresse von International Penfriends bekommen. Ich heiße Virginie Dubost und bin 17 Jahre alt. Ich interessiere mich sehr für andere Länder und Sprachen. Ich wohne in Montpellier und gehe noch zur Schule. Meine Lieblingsfächer sind Englisch, Deutsch und Musik. Später will ich vielleicht mal Sprachen studieren und dann Dolmetscherin werden! Vielleicht kann ich ja auch ein paar Semester im Ausland studieren. Was ist dein Traumberuf?
Mein Deutsch ist noch nicht so gut, aber meine Lehrerin ist sehr nett und hilft mir. Sie hat diesen Brief korrigiert! Überhaupt haben wir (fast) nur nette Lehrer in unserer Schule. Wie findest Du Deine Lehrer? Und wie sind Deine Mitschülerinnen (und Mitschüler!)?
Mein Bruder heißt Philippe und ist 25. Er ist Lehrer von Beruf. Er wohnt noch bei uns, aber er will bald heiraten. Seine Freundin heißt Simone, ich mag sie sehr. Mit meinen Eltern verstehe ich mich ganz gut, aber sie sind ein bisschen streng.
Im Sommer fahren wir alle ans Meer. In unserem Ferienhaus ist Platz für viele Leute. Wir haben oft Besuch von unseren Verwandten und Freunden. Wo verbringt ihr eure Ferien? Vielleicht kannst Du uns ja mal besuchen, dann zeige ich Dir alles.
Ich spiele regelmäßig Tennis und reite auch ganz gern – aber am liebsten tanze ich.
Ich schicke Dir ein Foto. Da siehst du Philippe, seine Freundin, unseren Hund Jacques – und mich natürlich. Schick mir doch auch ein Foto von Deiner Familie …
So, jetzt weißt Du schon eine Menge von mir. Bitte schreib mir bald!

Viele Grüße

Deine Virginie

Meine Adresse:
Virginie Dubost
42 Grand'rue Jean Moulin
34000 Montpellier
Frankreich

mögen

ich mag
du magst
sie/er mag
wir mögen
…

15 Schreiben Sie einen Brief.

Sie sind Carla und schreiben einen Antwortbrief an Virginie Dubost.

So kann man anfangen

Liebe ♀, Lieber ♂,
Hallo … ,
vielen Dank für Deinen Brief …
(gestern) ist Dein Brief gekommen …
ich habe mich sehr (über Deinen Brief) gefreut
…

So kann man aufhören

So, jetzt muss ich aber Schluss machen, …
Bitte schreib mir bald.
Ich freue mich schon auf Deine Antwort.
Ich hoffe, wir können uns bald einmal sehen.

Viele Grüße / Liebe Grüße / Herzliche Grüße
Deine ♀ / Dein ♂ ,
…

C Beruf: Hausmann

16 Ergänzen Sie.

ab ◆ an ◆ auf ◆ aus ◆ ein ◆ mit ◆ vor ◆ zu

1 Ich stehe jeden Morgen um 8 Uhr _auf_.
2 Dann ziehe ich mich ______.
3 Ich lade dich zu meinem Geburtstag ______.
4 Er räumt sein Zimmer ______.
5 Ich hole dich heute Abend so um 8 Uhr ______.
6 Hängst du die Wäsche heute Mittag ______.
7 Mach doch den Fernseher ______!
8 Die Wohnung sieht ja mal wieder furchtbar ______!
9 Mach bitte die Tür ______!
10 Hör mir doch endlich einmal ______.
11 Wann fängt der Film ______?
12 Nein, ich komme nicht ______. Ich habe keine Zeit.

17 Ergänzen Sie die Sätze.

Frau Klein geht zur Arbeit und sagt ihrem Mann vorher, was er alles machen soll:

1 Ich muss jetzt gehen. Die Konferenz _beginnt_ um 8 Uhr _–_. — beginnen
2 _Leerst_ du den Mülleimer _aus_? — ausleeren
3 ______ du dann die Wäsche ______? — aufhängen
4 Du weißt, Frau Lustig feiert heute ihren Geburtstag! ______ du deinen Anzug von der Wäscherei ______? — abholen
5 ______ du auch für das Wochenende ______? — einkaufen
6 Die Wohnung ______ furchtbar ______! — aussehen
7 ______ du sie noch ______? — aufräumen
8 ______ du den Babysitter für heute Abend ______? — anrufen
9 Du musst nicht kochen. ______ den Kindern doch eine Pizza bei „Pizzaservice“ ______. — bestellen
10 ______ du ihnen heute Abend bitte eine Geschichte ______? — vorlesen
11 ______ du dich bitte ______ mit allem? Wir müssen heute Abend pünktlich bei Frau Lustig sein. — beeilen
12 Ich ______ dich dann um 7 Uhr ______. — abholen

Aber natürlich. Alles klar.
Soll ich noch etwas machen?

18 Schreiben Sie Sätze.

1 können – anziehen – du – schnell – das Baby
Kannst du das Baby schnell anziehen ?

2 das Geschirr – Frau Jansen – abwaschen – müssen
______________________________ .

3 ihr – eure Spielsachen – aufräumen – bitte
______________________________ !

4 besuchen – doch mal wieder – deine Großeltern
Sarah, ______________________________ !

5 du – uns – eine Geschichte – vorlesen
______________________________ ?

6 ich – mit Scheck – bezahlen
______________________________ .

7 sollen – die Kinder – ich – von der Schule – abholen
______________________________ ?

8 du – können – im Kindergarten – anrufen
______________________________ ?

KURSBUCH C 6

19 Trennbar oder nicht? Hören und markieren Sie.

13

! **Wortakzent**
trennbare Verben ●•• Wortakzent auf der Vorsilbe: „einkaufen"
nicht-trennbare Verben •●• Wortakzent auf dem Verb-Stamm: „verkaufen"

	trennbar	nicht-trennbar		trennbar	nicht-trennbar
1 aufstehen			6 bekommen		
2 verstehen			7 einkaufen		
3 gefallen			8 verstecken		
4 bezahlen			9 beginnen		
5 verkaufen			10 anziehen		

20 Hören und sprechen Sie.

14

Ihr Bekannter ist seit kurzer Zeit Hausmann. Er beklagt sich über seine Arbeit, aber Sie verstehen das nicht: Für Sie sind Hausarbeiten kein Problem. Sie sagen: „Na und? …"

Beispiel: *Also Hausmann sein → – das ist wirklich anstrengend. ↘ Ich muss jeden Tag früh aufstehen. ↘*
Na und? *↗ Ich stehe* ***gern*** *früh auf. ↘*
Dann muss ich die Wohnung aufräumen. ↘
…

Schreiben Sie über Ihren Tag.

KURSBUCH C 7

D Der Ton macht die Musik

21 Hören und vergleichen Sie.

15

Diese Konsonanten klingen ähnlich.

hart (stimmlos)		weich (stimmhaft)	
[p]	**p**acken	[b]	**b**acken
	O**p**er		O**b**er
[t]	**T**ick	[d]	**d**ick
	Win**t**er		Kin**d**er
[k]	**K**arten	[g]	**G**arten
	Vo**k**al		Re**g**al

22 Üben Sie.

16

stimmhaftes „b“ = [b]
Sagen Sie „aaaaaaaaa“ dann schließen und öffnen Sie dabei die Lippen:
„aaaaaaaaa“ wird zu „aabaabaabaa“.

stimmloses „p“ = [p]
Halten Sie eine Kerze vor den Mund, atmen Sie ein und schließen Sie die Lippen. Sie wollen ausatmen, aber es geht nicht: Die Lippen sind geschlossen.

Öffnen Sie plötzlich die Lippen:
Sie hören „p“ – die Kerze ist aus.

Nehmen Sie ein Blatt Papier und üben Sie.
Sagen Sie:
ein Blatt Papier,
ein Paket Butter,
ein paar Bier.
Bei den Wörtern mit „p“ muss sich das Blatt bewegen!

Üben Sie auch [d]–[t] und [g]–[k] mit einem Blatt Papier. Halten Sie das Blatt ganz nah an den Mund: Bei „t“ und „k“ muss sich das Blatt ein bisschen bewegen (nicht so stark wie bei „p“).

Sagen Sie: ein toller Tipp, deine Tante, drei Tassen Tee, den Tisch decken, gute Kunden, ganz klar, kein Geld, Kaugummi, Kilogramm, Gäste zum Kaffeetrinken, ein paar Gläser Bier, Pack die Koffer!

23 Hart oder weich? Hören Sie, sprechen Sie nach und markieren Sie.

	[p]	[b]		[t]	[d]		[k]	[g]
Bier		X	**D**ose		X	**K**ästen	X	
Ra**p**	X		**T**asse	X		**G**äste		X
hal**b**	X		aben**d**s	X		be-**g**innt		X
paar			mo-**d**ern			Ta**g**		
lie**b**t			Lie**d**			fra**g**t		
Novem-**b**er			Lie-**d**er			Fra-**g**e		
Schrei**b**-tisch			Li-**t**er			schi**ck**		
Urlau**b**			Sü**d**-amerika			Stü-**ck**e		

Ergänzen Sie die Regeln und Beispielwörter.

> **!** Am Wort- und Silbenende spricht man
> „b" immer als [p] *halb, Schreibtisch*
> „d" immer als [ ] ______
> „g" immer als [ ] ______
> „ck" spricht man als [ ] ______
> Die Silbenmarkierungen finden Sie im Wörterbuch.

die **Schreib|ma|schi|ne** ['ʃraipmaʃi:nə]; -, -n: *Gerät, mithilfe dessen man durch Niederdrücken von Tasten schreiben kann:* eine elektrische Schreibmaschine; sie kann gut Schreibmaschine schreiben. *Syn.:* Maschine. *Zus.:* Blindenschreibmaschine.

der **No|vem|ber** [no'vɛmbɐ]; -[s]: *elfter Monat des Jahres:* am ersten November ist Allerheiligen.

richtig, wenig, günstig, traurig, dreißig ...
Am Wortende spricht man „**-ig**" oft wie „-ich".

Lerntipp:

Erinnern Sie sich noch? Nomen lernt man am besten mit Artikel und Plural, also z.B. **das** Verb, Verb**en**. Achten Sie bei Nomen mit „b", „d" und „g" am Ende auch immer auf die unterschiedliche Aussprache von Singular und Plural:

[p]	[b]
das Verb	Verben
[t]	[d]
das Lied	Lieder
[k]	[g]
der Tag	Tage

24 Wo spricht man „b", „d" und „g" als [p], [t] und [k]? Markieren Sie.

Guten Tag ◆ habt ihr Zeit? ◆ ab und zu ◆ mor-gen A-bend ◆ tut mir leid ◆ lei-der nicht ◆ Sonntag zum Mittag-essen ◆ es gibt ◆ Obst und Gemüse ◆ sie-ben Ta-ge Urlaub ◆ bald geht's los ◆ wohin fliegt ihr? ◆ am lieb-sten ◆ nach Deutschland ◆ das Flug-ticket ◆ nicht billig ◆ wirklich günstig ◆ ein Son-der-an-ge-bot

Hören Sie, sprechen Sie nach und vergleichen Sie. Machen Sie kleine Dialoge.

25 Wählen Sie ein Gedicht und üben Sie. Dann lesen Sie vor.

Arbeitsteilung

Wer räumt auf?
Wer wäscht ab?
Wer kauft ein?
Wer putzt und saugt?
Wer macht die Betten?
Wer deckt den Tisch?
Wer wäscht und bügelt?
Wer backt und kocht?
Wer leert den Müll aus?
Natürlich ich.
Wer sagt nie „danke"?
Wer fragt nie „Wie geht's?"
Wer hört nur halb zu?
Natürlich du!

Durst

Morgens drei Tassen
Kaffee oder Tee
mittags ein Cola
nachmittags Saft
unterwegs ein Likör
abends dann Rotwein
oder ein paar Gläser Bier

Problem

Die Tante liebt den Onkel,
der Onkel liebt die Tanten.
Ab und zu gibt's deshalb Streit –
so sind halt die Verwandten.

Einkauf im Supermarkt

3 Kilo Kartoffeln
Obst & Gemüse
1 Bauernbrot
2 Klopapier
1 Paket Butter
3 Dosen Tomaten
100 g Schinken
6 Kästen Bier
3 Tiefkühl-Pizzen
Käse (geschnitten)
1 kg Zucker
Schokolade
Pralinen & Bonbons
Kaugummis

Keine Gummibärchen?
Schade!

E Ordnung ist das halbe Leben

26 Ergänzen Sie die Präpositionen.

an ◆ auf ◆ ~~unter~~ ◆ über ◆ zwischen ◆ vor ◆ hinter ◆ in ◆ neben

Otto ist …

1 *unter* dem Teppich.

2 ______ der Waschmaschine.

3 ______ der Lampe.

4 ______ dem Kühlschrank.

5 ______ dem Fernseher.

6 ______ dem Computer.

7 ______ den Zeitschriften.

8 ______ der Mikrowelle.

9 ______ dem Dach.

27 Sortieren Sie die Verben.

~~gehen~~ ◆ hängen ◆ laufen ◆ (sich) legen ◆ ~~liegen~~ ◆ kommen ◆ sein ◆ (sich) setzen ◆ sitzen ◆ stehen ◆ stellen ◆ …

keine Bewegung

liegen,

______

______

Bewegung von A nach B

gehen,

______

______

28 Ergänzen Sie die Sätze.

Julian macht eine Geburtstagsparty. Die Party beginnt um 9 Uhr.
Jetzt ist es 8.50 Uhr. Aber nichts ist vorbereitet!

A

1 Die Zigaretten liegen _auf_ _dem_ Boden.
2 Die Sektflasche ist __________ d_____ Bett.
3 Sein Fahrrad steht __________ d_____ Fenster.
4 Geld liegt __________ d_____ Teppich.
5 Die Bücher liegen __________ d_____ Papierkorb.
6 __________ d_____ Zimmer liegt überall Klopapier.
7 Eine Kaffeetasse steht __________ d_____ Computer.
8 Blumen liegen __________ d_____ Mikrowelle.
9 Der Pullover hängt __________ d_____ Fernseher.
10 Ein Topf steht __________ d_____ Bett.

B

Julian …

1 legt die Zigaretten _in_ _die_ Schublade.
2 stellt die Sektflasche __________ d_____ Kühlschrank.
3 bringt das Fahrrad __________ d_____ Garten.
4 legt das Geld __________ d_____ Portemonnaie.
5 stellt die Bücher _ins_ Regal.
6 legt das Klopapier __________ d_____ Badezimmer.
7 räumt die Kaffeetasse __________ d_____ Spülmaschine.
8 stellt die Blumen __________ d_____ Tisch.
9 hängt den Pullover __________ d_____ Kleiderschrank.
10 räumt den Topf __________ d_____ Küchenschrank.

29 Ergänzen Sie die Präposition im Dativ oder Akkusativ.

im ◆ ins ◆ am ◆ ans ◆ auf dem ◆ aufs ◆ in den

1 Ich möchte einen neuen Film _im_ Kino sehen.
2 Was machst du am Wochenende? – Ich glaube, ich gehe __________ Kino.
3 Onkel Albert legt sich __________ Sofa.
4 Wo ist Franco? – Ich glaube, __________ Bad.
5 Musst du die ganze Zeit __________ Computer sitzen? Geh doch mal spazieren!
6 Bitte, kommen Sie doch __________ Wohnzimmer.
7 Wo ist denn mein Pass? – Der liegt dort __________ Fernseher.
8 Carolin sitzt __________ Garten und liest.
9 Der Computer steht __________ Schreibtisch.
10 Gibt es keine Milch mehr? – Schau doch __________ Kühlschrank!
11 Wo ist mein Buch? – Es liegt dort __________ Regal.
12 Stell doch die Blumen __________ Fenster!

KURSBUCH E 4–E 5

F Zwischen den Zeilen

30 Lesen Sie die Texte und unterstreichen Sie die Verben und Präpositionen.

1 Carla Martin sucht internationale Briefkontakte. Sie schreibt einen Brief an „International Penfriends". Sie erzählt von ihrer Familie und berichtet über ihre Hobbys. (Sie bittet „International Penfriends" um weitere Informationen und um Adressen.)

2 Virginie Dubost schreibt an Carla. Sie schreibt über ihre Hobbys, erzählt über ihre Zukunftspläne und berichtet von ihrer Familie und von den Ferien am Meer. Sie bittet Carla um ein Foto von ihrer Familie.

3 Ein ganz normaler Tag im Leben von Helga Jansen:
13.15 Das Mittagessen ist fertig. Die Kinder erzählen von der Schule, Helga hört nur halb zu: Sie denkt schon an den Nachmittag.
20.00 Helga Jansen spricht mit den Kindern über den Tag.
22.00 Frau Jansen trinkt ein Glas Wein und spricht mit ihrem Mann über den Tag.

31 Ergänzen Sie die passenden Verben und schreiben Sie Beispielsätze.

Präposition	Verb + Ergänzung
+ an AKK	*schreiben an International Penfriends*
+ mit DAT	
+ über AKK	*berichten über die Hobbys*
+ von DAT	*erzählen von der Familie*
+ um AKK	

Lerntipp:

Viele Verben können weitere Ergänzungen mit Präpositionen (Präpositionalergänzungen) haben. Nicht alle Verben und alle Präpositionen passen zusammen – es gibt feste Kombinationen. Lernen Sie Verben immer zusammen mit den passenden Präpositionen und schreiben Sie Beispielsätze mit Präpositionalergänzungen auf die Wortkarten.

Beispiel:
sprechen + mit DAT + über AKK
Abends spreche ich mit den Kindern über den Tag.

32 Ergänzen Sie die Sätze. Schreiben oder sprechen Sie.

Manchmal schreibe ich ...
Ich denke oft ...
... spricht gerne ...
... erzählt gerne ...
Wir müssen immer ... berichten.
Du kannst doch ... bitten.

Testen Sie sich!

Was ist richtig: a, b oder c? Markieren Sie bitte.

Beispiel:
Wie heißen Sie?
Mein Name ____________ Schneider.
- [ ] a) hat
- [x] b) ist
- [ ] c) heißt

1 ● Schau mal, auf dem Foto siehst du ___________ Schwester Susanne und mich beim Skifahren.
■ Wo wart ihr denn da?
- [ ] a) mein
- [ ] b) meine
- [ ] c) meinen

2 ● Hast du noch mehr ______________________?
■ Ja, noch eine Schwester und einen Bruder.
- [ ] a) Schwester
- [ ] b) Bruder
- [ ] c) Geschwister

3 ● Wie heißt das noch mal auf Deutsch: der Mann von meiner Schwester?
■ Das ist dein ______________________.
- [ ] a) Onkel
- [ ] b) Schwiegervater
- [ ] c) Schwager

4 ● Welche _______________ hast du für die Zeit nach dem Abitur?
■ Ich will erst mal reisen und die Welt kennenlernen.
- [ ] a) Ausbildung
- [ ] b) Hobbys
- [ ] c) Pläne

5 ● Welche drei Dinge nimmst du auf eine einsame Insel mit?
■ _______________ Gitarre, _____________ Schreibzeug und ____________ Lieblingsbücher.
- [ ] a) Meine ... mein ... meine
- [ ] b) Meine ... meine ... meine
- [ ] c) Meine ... mein ... meinen

6 ● Wie sieht deine Traumfrau aus?
■ Ach, hört doch auf mit ____________ doofen Fragen.
- [ ] a) eure
- [ ] b) euren
- [ ] c) eurem

7 ● Wohin gehst du?
■ Ich muss den Mülleimer ________________.
- [ ] a) aufhängen
- [ ] b) ausleeren
- [ ] c) machen

8 ● Was machen Sie gerne im Haushalt?
■ Kochen macht mir ________________.
- [ ] a) Spaß
- [ ] b) ganz viel
- [ ] c) gern

9 ● Wann stehst du morgens _____________?
■ So gegen sieben.
- [ ] a) aus
- [ ] b) –
- [ ] c) auf

10 ● Kommst du noch mit ins Café?
■ Nein, ich ___________ jetzt meine Tochter vom Kindergarten ____________.
- [ ] a) muss ... abhole
- [ ] b) muss ... abholen
- [ ] c) müssen ... abholen

11 ● Bleib doch noch.
■ Nein, es ist schon spät. Ich muss noch __________.
- [ ] a) aufräumen
- [ ] b) aufhängen
- [ ] c) abstellen

12 ● Schatz, hast du meine Brille gesehen?
■ Ja, die liegt ____________ Fernseher.
- [ ] a) auf den
- [ ] b) auf dem
- [ ] c) auf der

13 ● Was meinst du, wohin soll ich das neue Bild hängen?
■ Vielleicht ___________ Bett.
- [ ] a) über das
- [ ] b) über die
- [ ] c) über dem

14 ● Wo ist denn nur mein Handy?
■ Hier liegt es, ____________ dem Boden.
- [ ] a) unter
- [ ] b) zwischen
- [ ] c) auf

15 ● Was liegt denn da _______ dem Teppich?
■ Unsere Flugtickets! Da sind sie ja!
- [ ] a) in
- [ ] b) hinter
- [ ] c) unter

1 Meine Familie

Sie zeigen einem Nachbarn / einer Nachbarin ein Foto von Ihrer Familie. Was sagen Sie?

2 Was machen Sie im Haushalt gern? Was machen Sie nicht so gern?

3 Tagesablauf

Was machen Sie wann? Beschreiben Sie einen typischen Tagesablauf.

Um ______ *Uhr stehe ich* ______

4 Orts- und Richtungsangaben

Was steht wo? Beschreiben Sie Ihr Wohnzimmer.

Sie räumen Ihre Wohnung nach einer Party auf. Was stellen Sie wohin?

Ergebnis:

Ich kann ...	✔✔	✔	–
1 meine Familie vorstellen.			
2 über meine Vorlieben und Abneigungen bei der Hausarbeit sprechen.			
3 einen typischen Tagesablauf beschreiben.			
4 einfache Orts- und Richtungsangaben machen.			
Außerdem kann ich ...			
wichtige Informationen zu Personen verstehen und notieren.			
einen kurzen und einfachen persönlichen Brief lesen und schreiben.			

Lernwortschatz

Kursiv gedruckte Wörter sind Wortschatz der Niveaustufe A2 oder B1. Diese Wörter müssen Sie nicht für die Prüfung **Start Deutsch 1 / Start Deutsch 1z** lernen.

Nomen

Abitur das (nur Singular)
Absender der, -
Ausland das (nur Singular)
Baby das, -s
Bad das, ¨-er
Brief der, -e
Brötchen das, -
CD die, -s
Ding das, -e
Ecke die, -n
Ehefrau die, -en
Ehemann der, ¨-er
Einkauf der, ¨-e
Empfänger der, -
Enkel der, -
Enkelin die, -nen
Erinnerung die, -en
Ernst der (nur Singular)
(Ist das wirklich dein Ernst?)
Erwachsene die/der, -n
(ein Erwachsener)
Essen das (nur Singular)
Fenster das, -
Feuerwehr die (nur Singular)
Flur der, -e
Frühstück das
(nur Singular)
Gast der, ¨-e
Geschwister die
(nur Plural)
Gesicht das, -er
Glück das (nur Singular)
Großmutter die, ¨-er
Großvater der, ¨-er
Gymnasium das,
Gymnasien
Handy das, -s
Haushalt der
(hier nur Singular)
Hausmann der, ¨-er
Hobby das, -s
Hund der, -e
Insel die, -n
Junge der, -n
Katastrophe die, -en
Klasse die, -n
Leben das, -
Licht das, -er
Mädchen das, -
Mülleimer der, -
Nacht die, ¨-e
Neffe der, -n
Nichte die, -n
Note die, -n
Onkel der, -
Plan der, ¨-e
Praktikum das, Praktika
Reisebüro das, -s
Rolle die, -n
Sache die, -n
(Das ist doch meine Sache!)
Schreibzeug das
(nur Singular)
Schüler der, -
Schwager der, -
Schwägerin die, -nen
Schwester die, -n
Schwiegereltern die
(nur Plural)

Schwiegermutter die, ¨-er
Schwiegervater der, ¨-er
Sonne die, -n (meist nur Singular)
Spaß der, ¨-e
Studium das (nur Singular)
Suche die (nur Singular)
Tante die, -n
Tasche die, -n
Teller der, -
Treppe die, -n
Traum der, ¨-e
Unterricht der (nur Singular)
Unterschrift die, -en
Vogel der, ¨
Wäsche die (nur Singular)
Witz der, -e
Zukunft die (nur Singular)

Verben

abtrocknen
abwaschen
anziehen
aufpassen
aufräumen
aufstehen
ausmachen
auspacken
aussehen (wie)
sich beeilen
duschen
einpacken
entscheiden
feiern
sich freuen + über AKK
hängen
hassen
kochen
korrigieren
laufen
legen
liegen
mitgehen
mitnehmen
mögen (Ich mag dich.)
putzen
riechen + nach DAT
scheinen
schlafen
schlagen
sich setzen
sitzen
spülen
stehen
stellen
stinken
streiten
tragen
unterstützen
(sich) verabschieden
vergessen
verstecken
versuchen
sich etwas vorstellen
waschen
zuhören

Adjektive

aktiv	
anstrengend	
blond	
ehrlich	
einsam	
fertig	
glücklich	
grün	
müde	
nass	
normal	
pünktlich	
schlimm	
wach	

andere Wörter / Ausdrücke

anders	
beide	
besonders	
erst einmal	
früher	
gleichzeitig	
Hals- und Beinbruch!	
hinter	
irgendwas	
satthaben	
trotzdem	
unter	

BERLIN! BERLIN!

A Sehenswürdigkeiten

1 Was passt zusammen? Markieren Sie.

1 (das) Kreuzberg
2 der Umzug, ¨-e
3 der Eingang, ¨-e
4 das Tier, -e
5 der Teich, -e
6 die Wiese, -n
7 der Deutsche Bundestag
8 das Regierungsviertel, -
9 der Blick, -e
10 das Wahrzeichen, -

- [ ] das Symbol für eine Stadt
- [ ] der Affe, -n; der Bär, -en; der Tiger, -
- [ ] das deutsche Parlament
- [1] ein Stadtviertel in Berlin
- [ ] man kann von einem Ort aus etwas gut sehen
- [ ] die Leute gehen durch die Straßen und tanzen, zum Beispiel beim Karneval
- [ ] hier kann man in ein Geschäft, in ein Haus, in den Zoo gehen
- [ ] ein kleiner See
- [ ] hier sind viele wichtige Gebäude der Regierung
- [ ] Gras und kleine Blumen

KURSBUCH A 2–A 3

2 Schreiben Sie über Ihre Heimatstadt.

Lage ◆ Einwohner ◆ Sehenswürdigkeiten ◆ Veranstaltungen ◆ …

Ich komme aus ______________.
Das liegt ______________.
In ______________ *wohnen/leben* ______________ *Menschen.*

____
____
____
____
____
____
____
____

B Entschuldigung, wie komme ich zu … ?

3 Ergänzen Sie die „Legende" vom Berliner Stadtplan.

~~Berliner Mauer~~ *(f)* ◆ Jugendherberge *(f)* ◆ Hotel *(n)* ◆ Kirche *(f)* ◆ Museum *(n)* ◆ Post *(f)* ◆ Polizei *(f)* ◆ S-Bahn *(f)* ◆ Theater *(n)* ◆ Touristen-Information *(f)* ◆ U-Bahn *(f)* ◆ Zoo *(m)*

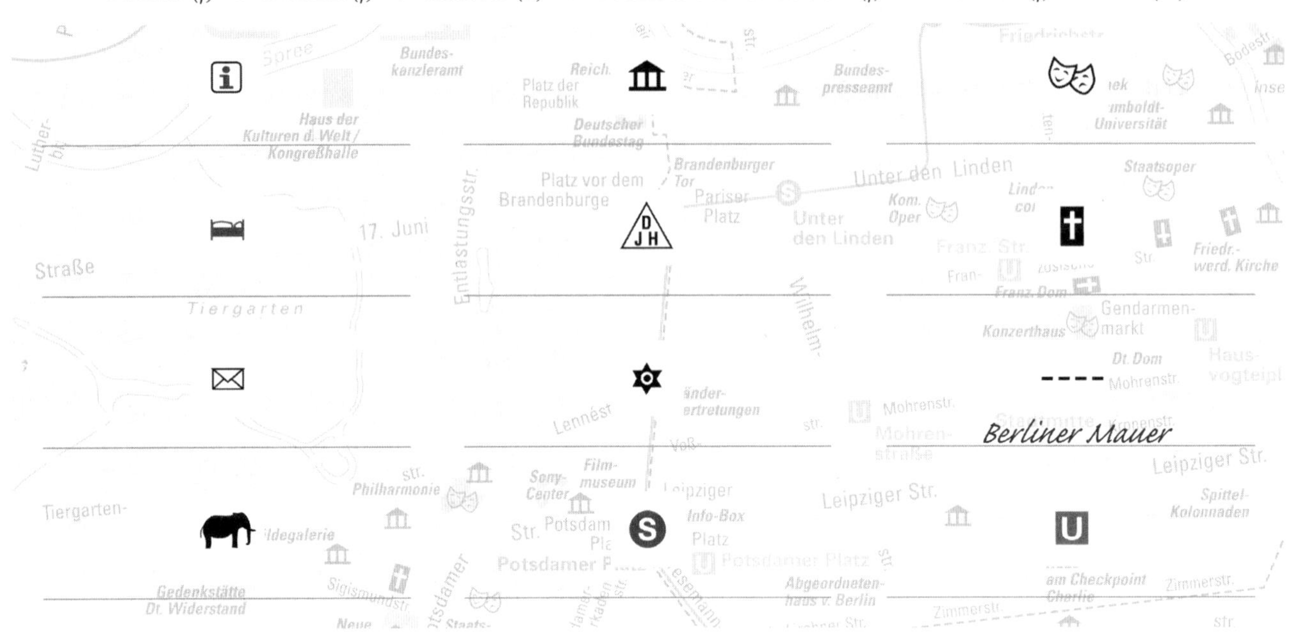

Was gehört noch alles zu einer Stadt? Sammeln Sie.

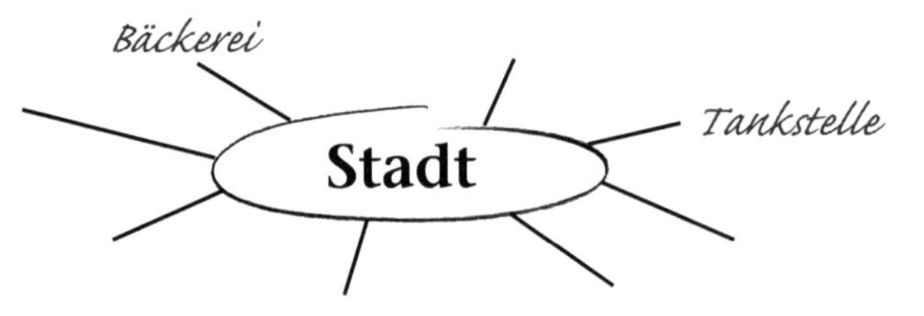

KURSBUCH B 1–B 2

4 Welche Fahrzeuge kennen Sie auf Deutsch? Ergänzen Sie.

Auto *(n)* ◆ Bus *(m)* ◆ Fahrrad *(n)* ◆ Flugzeug *(n)* ◆ Motorrad *(n)* ◆ S-Bahn *(f)* ◆ Straßenbahn *(f)* ◆ U-Bahn *(f)* ◆ Zug *(m)* ◆ Taxi *(n)*

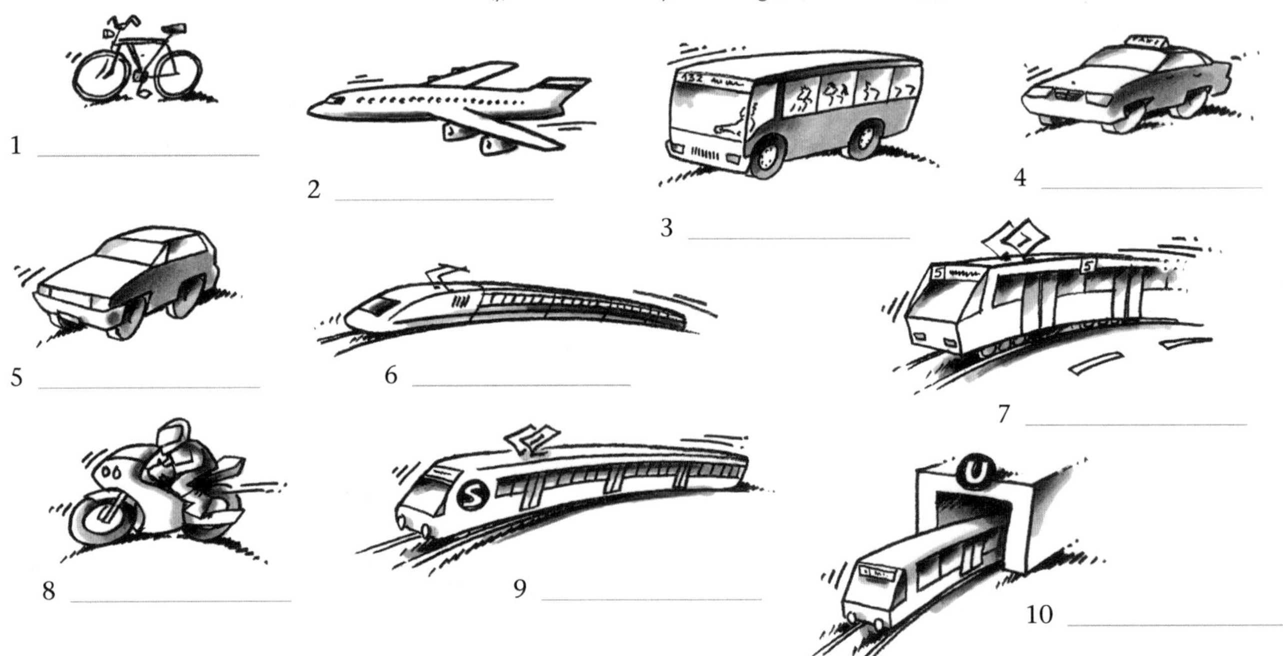

1 ____________
2 ____________
3 ____________
4 ____________
5 ____________
6 ____________
7 ____________
8 ____________
9 ____________
10 ____________

5 Ergänzen Sie.

1 Mein Vater ist Ingenieur. Er fährt ___*mit dem*___ Bus ___*ins*___ Büro.
2 Meine Mutter ist Ärztin. Sie fährt __________ Fahrrad __________ Krankenhaus.
3 Mein Opa und meine Oma fahren __________ Taxi __________ Bahnhof.
4 Dann fahren sie __________ Zug __________ Köln.
5 Ich gehe __________ Fuß __________ Schule.
6 Nächste Woche fahren meine Eltern und ich __________ Auto __________ Urlaub.

6 Hören Sie die Dialoge und ergänzen Sie. Was suchen die Leute?

23

Dialog 1 ___*Post*___
Dialog 2 __________
Dialog 3 __________
Dialog 4 __________

7 Was passt zusammen? Sortieren Sie.

1 Entschuldigung, ich suche eine Post. Gibt es eine hier in der Nähe?
2 Entschuldigung, gibt es hier einen Supermarkt?
3 Verzeihung, wo finde ich denn das Hotel „Zur Post"?
4 Ist das weit?
5 Verzeihung, wie komme ich denn zum Zoo?

☐ Das ist in der Berliner Straße.
☐ Ja, fahren Sie die Friedrichstraße immer geradeaus … Da kommt auf der linken Seite ein Supermarkt.
☐ Ja, gehen Sie hier links in die Friedrichstraße … Neben dem Hotel ist gleich eine.
☐ Fahren Sie die Berliner Straße immer geradeaus, dann rechts und gleich wieder links, …
☐ Ja, nehmen Sie lieber die U-Bahn. Die fährt hier gleich am Dom.

8 Schreiben Sie kleine Dialoge und benutzen Sie den Stadtplan.

1 Sie sind in der Hauptstraße am Theater und suchen eine Post.
2 Sie sind in der Berliner Straße am Hotel und suchen eine Bäckerei.
3 Sie sind bei Möbel-Fun, jemand fragt Sie nach dem Kino. (mit dem Bus)
4 Sie sind am Zoo, Ecke Hauptstraße, und möchten zu Möbel-Fun.
5 Sie sind am Dom und möchten ins Schwimmbad. (mit der U-Bahn)

Entschuldigung, ich suche eine Post. Gibt es eine hier in der Nähe?
Ja, gehen Sie die Hauptstraße immer geradeaus, dann die zweite Straße links, das ist die Berliner Straße. Die Post ist auf der rechten Seite.

KURSBUCH B 5

9 Schreiben Sie an die Touristen-Information in Berlin.

- Schreiben Sie Ihre Adresse.
- Bitten Sie um Informationsmaterial und um einen Stadtplan.
- Schreiben Sie, warum Sie das brauchen (Unterricht, Reise).
- Bedanken Sie sich.

Um etwas bitten
Ich hätte gern …
Ich möchte …
Bitte schicken Sie mir …
Können Sie mir bitte … schicken?

(eigene Adresse)

____

____

____

An die Tourismus Marketing GmbH
Am Karlsbad 11
D-10785 Berlin

(Datum) ________________

Sehr geehrte Damen und Herren,

Mit freundlichen Grüßen

(Unterschrift)

KURSBUCH C 1–C 4

C Ein Wochenende in Berlin

10 Schreiben Sie die Sätze richtig.

Wir	Verb 1 (Hilfsverb)		Verb 2 (Partizip Perfekt)
Wir	**sind**	mit dem Auto nach Berlin	**gefahren.**

1 *Wir sind mit dem Auto nach Berlin gefahren.*
sind · mit dem Auto · gefahren · wir · nach Berlin

2 ____________________
dort · ein schönes Hotel · wir · gesucht · haben

3 ____________________
zum Brandenburger Tor · wir · am nächsten Tag · mit der S-Bahn · sind · gefahren

4 ____________________
wir · gemacht · dort · haben · viele Fotos

5 ____________________
wir · gegessen · dann · zu Mittag · haben

6 ____________________
gegangen · in den Zoo · sind · am Nachmittag · wir

7 ____________________
geblieben · sind · in die Disco · gegangen · am Abend · sind · bis zum frühen Morgen · wir · und

8 ____________________
haben · heute Morgen · und · lange gefrühstückt · wir · Zeitung gelesen

KURSBUCH C 5

11 Ergänzen Sie das passende Partizip Perfekt.

gefahren ◆ gefragt ◆ gesucht ◆ gegessen ◆ gekauft ◆ gelesen ◆ gemacht ◆ getrunken ◆ gefrühstückt ◆ gegangen ◆ geblieben ◆ geschlafen

1 bleiben ____________
2 frühstücken ____________
3 essen ____________
4 fahren ____________
5 fragen ____________
6 gehen ____________
7 kaufen ____________
8 lesen ____________
9 machen ____________
10 schlafen ____________
11 suchen ____________
12 trinken ____________

12 **Sortieren Sie die Verben aus Übung 11.**

regelmäßige Verben: Endung *-(e)t*

(hat) gefrühstückt

unregelmäßige Verben: Endung *-en*

(ist) geblieben

13 **Was haben Lisa und Taheya am Sonntag alles gemacht? Schreiben Sie.**

mit dem Zug nach Berlin fahren

die Gemäldegalerie suchen

einen Taxifahrer nach dem Weg fragen

dann zwei Stunden im Museum bleiben

in einem Café Kuchen essen und Kaffee trinken

wieder nach Hause fahren

1 *Am Sonntag sind Lisa und Taheya mit dem Zug nach Berlin gefahren.*
2
3
4
5
6

KURSBUCH C 6

14 Ergänzen Sie die passenden Verben.

unbenannt

Jetzt senden | Später senden | Als Entwurf speichern | Anlagen hinzufügen | Signatur | Optionen

Von: Paul

An: PeterNiebisch@epost.de

Cc:

BCc:

Betreff: in Berlin

Anlagen: *keine*

Standardschriftart | Textgrad | F | I | U | T

Lieber Peter,

wie geht es Dir? Ich _habe_ mich so lange nicht mehr bei Dir _gemeldet_ (1) *(melden)*. Tut mir leid, aber bei mir ____ so viel ________ (2) *(passieren)*! Du wirst es mir nicht glauben, aber es _____ wirklich _________ (3) *(klappen)*: Ich bin in Berlin!
Ich __________ (4) *(haben)* großes Glück mit der Arbeit und mit der Wohnung. Ich arbeite jetzt im Hotel Transit und habe ein Zimmer in Kreuzberg. Jetzt bin ich fast einen Monat in Berlin und ____________ schon einige nette Leute __________ ________________ (5) *(kennenlernen)* und ich ___________ unglaublich viel ____________ (6) *(sehen)* und ____________ (7) *(machen)*.
Ich ____________ (8) *(sein)* schon in tollen Konzerten und natürlich auch schon in vielen Diskos.
Was ____________ Du so in letzter Zeit ____________ (9) *(machen)*?
Ich hoffe, Dir geht es so gut wie mir! Vielleicht schreibst Du mir mal oder noch besser: Komm mich doch mal besuchen!
Berlin ist immer eine Reise wert!
Schöne Grüße

Paul

Meine neue Adresse:
Paul Meister
Steinstraße 7
12307 Berlin

15 Schreiben Sie einem Schulfreund / einer Schulfreundin eine E-Mail.

Schreiben Sie, wo Sie jetzt leben und warum Sie in dieser Stadt sind.
Schreiben Sie, was Sie schon alles in der Stadt gesehen und gemacht haben.
Fragen Sie, wie es Ihrer Freundin / Ihrem Freund geht.
Laden Sie Ihre Freundin / Ihren Freund ein.

KURSBUCH D 1–D 2

D Lieblingsplätze

16 Ergänzen Sie.

mich ◆ Dich ◆ euch ◆ es ◆ uns

1
Liebe Sandra, kommst Du mit ins Café Einstein? So um drei? Holst Du *mich* ab? Ich habe auch ein kleines Geschenk für ______!
Grüße und bis später Ronni

2
Andi, ich vermisse ______ so. Ohne ______ ist es nicht schön in Berlin. Komm schnell zurück! Ich liebe ______.
Janina

3
Hallo Evi, bin jetzt seit sechs Wochen in Berlin. Die Stadt gefällt mir total gut. Kommst Du ______ mal besuchen? Bring doch Joe mit. Ich habe genug Platz für ______ beide.
Viele Grüße Petra

4
Hi Tim, fährst Du heute zum Wannsee raus? Kannst Du ______ mitnehmen? Mein Auto ist kaputt.
Gruß – Robert

5
Es hat geklappt! Wir bekommen die Wohnung! Ich habe auch schon ein neues Sofa für *uns* gesehen. Du musst ______ unbedingt heute noch anschauen. Bis später. Kurt

6
Hi, komme eine Viertelstunde später. Ich hol noch Kuchen für ______. Machst Du schon mal Kaffee? Bis dann. Mona

17 Ergänzen Sie.

mich ◆ dich ◆ sie ◆ ihn ◆ uns ◆ euch

Im Unterricht

1 ● Guten Morgen, Nicole, grüß *dich*. — ■ Oh, hallo, Sandro.
2 ● Kennst du schon unseren neuen Lehrer? — ■ Ja, ich habe ______ gestern kennengelernt.
3 ■ Hast du die Hausaufgaben gemacht? — ● Ja, aber ich habe ______ zu Hause gelassen.
4 ● Hast du mal einen Stift für ______? — ■ Ja, hier hast du ______.
5 ● Ich kann das nicht lesen. Was steht da an der Tafel? — ■ Hier ist meine Brille, ich kann ______ dir gern mal leihen.
6 ● Hast du mal einen Radiergummi? — ■ Kannst du bitte mal irgendwas ohne ______ machen?
7 ● Entschuldigung, Herr Schiller. Wir verstehen das nicht. — ▲ Soll ich das für ______ noch mal wiederholen?
8 ● Das ist immer noch zu schwer für ______. — ▲ Ich glaube, das ist nicht zu schwer für ______. Kommt doch einfach öfter in den Unterricht.

KURSBUCH D 4

18 Ergänzen Sie die Tabelle.

Nominativ	ich	du	sie	er	es	wir	ihr	sie	Sie
Dativ		*dir*			*ihm*		*euch*		*Ihnen*
Akkusativ		*dich*					*euch*		*Sie*

19 Ergänzen Sie die Pronomen im Akkusativ oder Dativ.

mich ◆ mir ◆ ihm ◆ ihn ◆ Ihnen ◆ uns ◆ Sie ◆ sie

Liebe Frau Krüger,

wie geht es ______________ (1) *und den anderen aus unserer Klasse?*
__________ (2) *geht es sehr gut hier in Berlin.*
Seit einer Woche mache ich jetzt schon den Deutschkurs – und ich finde
__________ (3) *total gut. Die Teilnehmer kommen aus aller Welt und so sprechen wir wirklich immer Deutsch. Die Lehrerin ist auch sehr nett, aber sie gibt*
uns (4) *immer so viele Hausaufgaben! Das gefällt* __________ (5) *nicht so gut. Wir haben doch Ferien!*
Ich bin dauernd unterwegs und habe schon viel gesehen. Ich mache viele Fotos für
__________ (6) *und die anderen, dann können wir die Bilder nach den Ferien gemeinsam ansehen.*
Leider habe ich noch nicht viele Berliner kennengelernt, nur meine Zimmerwirtin.
Ich mag __________ (7) *sehr. Sie lächelt immer so nett.*
Nächsten Samstag gehe ich ins Theater. Sie wissen ja, was Theater für
______________ (8) *bedeutet – sogar auf Deutsch!*

Für heute sage ich tschüs.
Viele liebe Grüße an alle
Ihre
Francesca

PS: Hat sich Carlo schon gemeldet? Gefällt es __________ (9) *in Hamburg?*

KURSBUCH D 3–D 4

20 Lesen Sie die Gedichte und schreiben Sie selbst kleine Gedichte nach dem Muster.

Beispiele:

1

Familie
Meine Mutter
Ich liebe sie.
Sie ist immer für mich da.
Wie gut!

1. Zeile: Überschrift (1 Wort)
2. Zeile: Nennen Sie eine Person, Stadt, …, die Sie lieben. (2 Wörter)
3. Zeile: Ein Satz mit „Ich …“ (3 Wörter)
4. Zeile: Warum lieben Sie die Person, Stadt, Sache? (ein Satz)
5. Zeile: Schluss (1–2 Wörter)

2

Heimat
Mein Berlin
Ich vermisse dich
Deine Parks und Seen
Weit weg

Ihr Gedicht:

21 Ergänzen Sie das passende Wort: Lieblings-…

-buch ◆ -essen ◆ -farbe ◆ -gedicht ◆ -getränk ◆ -musik ◆ -platz ◆ -sprache

1 Das esse ich am liebsten: *Lieblingsessen*
2 Das lese ich am liebsten: ____________
3 Das höre ich am liebsten: ____________
4 Dort bin ich am liebsten: ____________
5 Italienisch spreche ich am liebsten: ____________
6 Milch trinke ich am liebsten: ____________
7 Rot habe ich am liebsten: ____________
8 Das lese ich am liebsten laut vor: ____________

gern	*lieber*	*am liebsten*
+	++	+++

Kennen Sie noch andere Wörter mit Lieblings-?

22 Schreiben Sie über Ihre Lieblingsstadt, über Ihre Lieblingssachen, über Ihr Lieblings-…

Meine Lieblingsstadt ist Rom. Da gibt es so viele Sehenswürdigkeiten und die Menschen sind so freundlich.
Mein Lieblingsessen ist Pizza. Und ich trinke sehr gerne Rotwein dazu. Aber ansonsten ist mein Lieblingsgetränk Cola.

E Der Ton macht die Musik

23 Bindung und Neueinsatz: Hören Sie und sprechen Sie nach.

24

Bindung: zusammen sprechen (‿)		Neueinsatz: getrennt sprechen (|)
s‿**amt** – insges‿**amt**	→	| **amt** – Wohnungs|**amt**
b‿en – Ver**b**‿en	→	| Ende – Ver**b**|ende
d‿in – Freun**d**‿in	→	| in – Freun**d**|in
f‿ort – sof‿ort	→	| Ort – Lieblings|ort
H‿und – ein **H**‿und	→	| und – na|**und**
H‿**aus** – ein H‿**aus**	→	| aus – gerade|**aus**
l‿**ein** – all‿**ein**	→	| ein – so|**ein**
D‿**eu**tsch – auf **D**‿**eu**tsch	→	| euch- mit|euch

24 „Gähnen" Sie und üben Sie den Neueinsatz.

genauso mit:
na|und, in|einer Woche, mit|euch, du|auch, mein Freund|in Rom, am|Ende

25 Neueinsatz (|) oder Bindung (‿)? Hören und markieren Sie.

am **S** amstag	am Anfang	das pass ende	Wochen ende
bitte **s** ortieren	bitte ordnen	heute **n** ur	neun Uhr
Sie **k** önnen	ge öffnet	ich übe	ich bin **m** üde
ein Url aub	im August	ein Erdbeer eis	Basmatir eis

> **!** Vokale oder Diphthonge am Wortanfang (z. B. „**August**") oder am Silbenanfang (z. B. „Woh-nungs-**amt**") spricht man mit Neueinsatz (= man beginnt neu).

26 Neueinsatz (|) oder Bindung (‿)? Sprechen und markieren Sie.

in | Berl‿in	mein Freund in Sofia	meine Freund in Sofia	einen Termin ver einbaren
um acht Uhr	oder erst um elf	Meist er heißt er	nicht verg essen
etwas essen			

Jetzt hören und vergleichen Sie.

27 Schreiben Sie die Sätze richtig.

AmWochenendeistdasWohnungsamtnichtgeöffnet.

EinUrlaubinBerlinististimmerinteressant.

IchhättegerneinErdbeereisundeinenEiskaffee.

Am Wochen|ende |ist das

Lesen Sie die Sätze und markieren Sie die Neueinsätze (|).

Jetzt hören und vergleichen Sie.

28 Hören Sie und sprechen Sie nach.

Termine

Ich möchte mit Ihnen einen Termin vereinbaren.
Jetzt im August um acht Uhr? Oder erst im Oktober um elf?

Leute

Mein Freund in Sofia hei t Tom.
Sofia? So hei t meine Freundin in Rom.

Er hei t Meister. Meister hei t er.
Meister? Dann ist er der neue Minister.

Tipp

Ich übe und übe, jetzt bin ich müde.
Nicht vergessen: etwas essen!

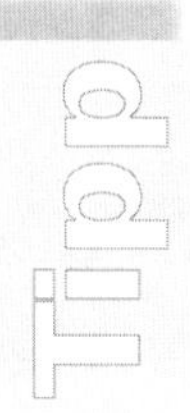

Jetzt üben Sie zu zweit.

F Zwischen den Zeilen

29 Hören Sie die Dialoge und lesen Sie mit.

30-31

In Berlin sprechen viele Leute Dialekt. Hier ein paar Beispiele.

1

▲ *Verzeihung, wo finde ich denn das Hotel „Vivaldi"?*
● *Na, das weiß ich auch nicht. Aber fragen Sie doch mal einen Polizisten. Da hinten steht einer.*
▲ *Äh … Wo denn?*
● *Haben Sie keine Augen im Kopf? Na, da!! Gucken Sie mal richtig hin.*
▲ *Ach da …*
● *Genau, jetzt haben Sie es. Jetzt verstehen Sie mich.*
▲ *Wie bitte?*
● *Jetzt verstehen Sie mich!*
▲ *Ach so, ja. Vielen Dank.*
● *Nichts für ungut.*

2

▲ *Verzeihung, wo finde ich denn das Hotel „Vivaldi"?*
■ *Ja, … gehen Sie hier rechts die Leipziger Straße immer geradeaus und dann die zweite links. Das ist die Friedrichstraße. Die gehen Sie auch immer geradeaus. Dann kommen Sie direkt zum Hotel „Vivaldi".*
▲ *Danke sehr.*
■ *Nichts für ungut.*

Berliner Dialekt:
Akkusativpronomen = Dativpronomen z. B.: mich = mir
au = oo **ei = ee** **g = meist j** **Sie = Se**
ich = ick(e) **gucken/kucken = kieken**

30 Suchen Sie die passenden Sätze in den Dialogen und ergänzen Sie die hochdeutsche Form.

1 Na, det weeß ick och nich. ______
2 Aba fragense doch mal een Wachtmeester. ______
3 Hamse keene Oogn im Kopp? ______
4 Na, da! Kiekense mal richtig hin. ______
5 Jenau, jetzt hamset. ______
6 Jetz vastehnse mir. ______
7 Nüscht für unjut. ______
8 Det is de Friedrichstraße. ______

31 Hören Sie das Gedicht und lesen Sie mit.

32

Berliner Klopsgeschichte

Ick sitze da und esse Klops*.
Uff eenmal kloppt's.
Ick kieke, staune, wunder mir.
Uff eenmal jeht se uff, de Tür.
Nanu denk' ick, ick denk' nanu,
jetzt is se uff, erst war se zu.
Und ick jeh' raus und kieke,
und wer steht draußen? – Icke!

Berliner Klopsgeschichte

Ich sitze da und esse Klopse.
Auf einmal klopft es.
Ich kucke, staune, wundere mich.
Auf einmal geht sie auf, die Tür.
Nanu denke ich, ich denke nanu,
jetzt ist sie auf, erst war sie zu.
Und ich gehe raus und gucke,
und wer steht draußen? – Ich!

* Klops = Königsberger Klops,
Hackfleisch-Bällchen in (Kapern-)Soße

Jetzt versuchen Sie doch mal, das Gedicht im Berliner Dialekt laut zu lesen.

Testen Sie sich!

Was ist richtig: a, b oder c? Markieren Sie bitte.

Beispiel:
Wie heißen Sie?
Mein Name ________ Schneider.
- a) hat
- X b) ist
- c) heißt

1 ● Welche ________________ gibt es denn in Berlin?
■ Das Brandenburger Tor, den Tiergarten, den Zoo, die Mauer ...
- a) Sehenswürdigkeiten
- b) Tipps
- c) Informationen

2 ● Kennen Sie den Tiergarten?
■ Ja, das ist ein ________ in Berlin.
- a) Zoo
- b) Park
- c) Café

3 ● Verzeihung, ich ________ den Checkpoint Charlie. Ist der nicht hier in der Nähe?
■ Nein, nehmen Sie lieber die U-Bahn und steigen Sie an der Kochstraße aus.
- a) komme
- b) suche
- c) möchte

4 ● Wie kommst du denn nach Berlin?
■ Ich fahre ________ dem Zug.
- a) nach
- b) bei
- c) mit

5 ● Wie finden Sie Berlin?
■ Keine Ahnung. Ich ________ noch nie in Berlin.
- a) habe
- b) bin
- c) war

6 ● Was machst du heute noch?
■ Ich ________ den ganzen Tag ________! Jetzt gehe ich erst mal essen.
- a) bin – gearbeitet
- b) habe – arbeiten
- c) habe – gearbeitet

7 ● Hast du diese Einzimmerwohnung in Kreuzberg genommen?
■ Nein, da waren zu viele vor mir. Da hatte ich keine ________.
- a) Zeit
- b) Glück
- c) Chance

8 ● Und? Was hast du am Wochenende ______ mich so gemacht?
■ Gearbeitet. Ich habe nur gearbeitet.
- a) ohne
- b) mit
- c) für

9 ● Wir fahren heute zum Wannsee raus. Kommst du mit?
■ Nein, ihr müsst heute mal ohne ______ fahren, ich muss arbeiten.
- a) mich
- b) mir
- c) dich

10 ● Und wie ist dein neuer Lehrer?
■ Ach, ganz okay. Ich finde ______ sehr nett.
- a) sie
- b) es
- c) ihn

11 ● Komm ______ doch mal in Berlin besuchen.
■ Das mache ich gern.
- a) mich
- b) mir
- c) –

12 ● Was ist dein ________________?
■ Hähnchen mit Pommes.
- a) Lieblingsgetränk
- b) Lieblingsessen
- c) Lieblingsstadt

13 ● Wir waren gestern im Zoo und da habe ich einen rosa Tiger gesehen.
■ ________________
- a) So ein Quatsch!
- b) Du Ärmste!
- c) Ich hatte Glück.

14 ● Oje! Jetzt bin ich wohl völlig falsch gefahren.
■ ________________ Jetzt kommen wir zu spät ins Theater.
- a) So ein Mist!
- b) Ich glaub' dir kein Wort.
- c) Keine Ahnung.

15 ● Na endlich! Wo bleibst du denn?
■ Tut mir leid, aber der Bus hatte Verspätung.
● Jeden Morgen erzählst du eine andere Geschichte. ________________
- a) Ach du lieber Himmel!
- b) Oje! Wie schrecklich!
- c) Ich glaub' dir kein Wort!

Selbstkontrolle

1 Wegbeschreibungen

– Sie sind in Berlin und suchen die Marienstraße. Fragen Sie nach dem Weg.

– Jemand fragt Sie: Entschuldigung, wie komme ich zum Bahnhof? Antworten Sie.

2 Am Wochenende

Sie waren ein Wochenende in Ihrer Lieblingsstadt. Ihre Nachbarin fragt Sie: Wie war es in ...? Erzählen Sie.

3 Meine Stadt

Welche Sehenswürdigkeiten gibt es in Ihrer Stadt? Welche Veranstaltungen sind wann?

Wie heißt Ihre Lieblingsstadt? Was ist für Sie an ... so schön?

Haben Sie auch einen Lieblingsplatz?

Ergebnis:

Ich kann ...	✔✔	✔	–
1 – nach dem Weg fragen und Wegbeschreibungen verstehen.			
– jemandem einen Weg beschreiben.			
2 über Vergangenes berichten.			
3 über meine Stadt berichten.			
Außerdem kann ich ...			
einen Ort im Stadtplan finden.			
über „Lieblingssachen“ sprechen.			
Ärger und Mitleid zeigen.			

Lernwortschatz

Kursiv gedruckte Wörter sind Wortschatz der Niveaustufe A2 oder B1. Diese Wörter müssen Sie nicht für die Prüfung **Start Deutsch 1 / Start Deutsch 1z** lernen.

Nomen

Art die, -en
Bahnhof der, ¨e
Besucher der, -
Blick der, -
Brille die, -n
Bus der, -se
Dom der, -e
Eingang der, ¨e
Ferien die (nur Plural)
Fest das, -e
Flugzeug das, -e
Garten der, ¨
Gebäude das, -
Gras das, ¨er
Internet das (nur Singular)
Jugendherberge die, -n
Kirche die, -n
Kostüm das, -e
Kultur die, -en
Mauer die, -n
Motorrad das, ¨er
Parlament das, -e
Polizei die (nur Singular)
Post die (nur Singular)
(Post)Karte die, -n

Regierung die, -n
Reise die, -n
Rest der, -e
Richtung die, -en
S-Bahn die, -en
See der, -n
Sehenswürdigkeit die, -en
Silvester (nur Singular)
Stadtplan der, ¨e
Station die, -en
Stein der, -e
Straßenbahn die, -en
Symbol das, -e
Tanz der, ¨e
Tier das, -e
U-Bahn die, -en
Überschrift die, -en
Vorstellungsgespräch das, -e
Weg der, -e
Weihnachten (nur Singular)
Wetter das (nur Singular)
Wiese die, -n
Ziel das, -e
Zuhause das (nur Singular)
Zuschauer der, -

Verben

abfahren
arbeiten, hat gearbeitet
ansehen
benutzen
bleiben, ist geblieben
buchen
essen, hat gegessen
fahren, ist gefahren
fragen, hat gefragt
frühstücken, hat gefrühstückt
gehen, ist gegangen
gratulieren
kaufen, hat gekauft
kennenlernen, hat kennengelernt
klappen, hat geklappt
laufen, ist gelaufen
leihen

lesen, hat gelesen
(sich) melden
machen, hat gemacht
mitbringen
nehmen, hat genommen
passieren
(Was ist denn passiert?)
schaffen
(Das schaffe ich schon.)
schicken, hat geschickt
schlafen, hat geschlafen
sehen, hat gesehen
suchen, hat gesucht
trinken, hat getrunken
verbinden mit + DAT
vereinbaren
(einen Termin vereinbaren)
vermissen

Adjektive

bunt
direkt
fremd
herrlich
(multi)kulturell
neugierig
schrecklich

täglich
typisch
völlig
(Ich bin völlig falsch gefahren.)
weit
(Das ist weit.)

andere Wörter / Ausdrücke

eigentlich
entweder … oder
durch
(durch die Stadt)
geradeaus

hoffentlich
Lieblings-
öfter
verabredet sein
zu Fuß

Prüfungsteil		Zeit	Punkte
Hören	Teil 1		6
	Teil 2		4
	Teil 3		5
Insgesamt		ca. 20 Minuten	15 Punkte*
Lesen	Teil 1		5
	Teil 2		5
	Teil 3		5
Insgesamt		ca. 25 Minuten	15 Punkte*
Schreiben	Teil 1		5
	Teil 2		10
Insgesamt		ca. 20 Minuten	15 Punkte*
Sprechen	Teil 1		3
	Teil 2		6
	Teil 3		6
Insgesamt		ca. 15 Minuten	15 Punkte*

Die Prüfung bestehen: Sie brauchen dafür mindestens 60 Punkte.

* Die Punkte multipliziert man mit 1,66 (15 x 1,66 = 25).
Insgesamt kann man also maximal 100 Punkte bekommen.

Dieser Test hat drei Teile. Sie hören kurze Gespräche und Ansagen. Zu jedem Text gibt es eine Aufgabe. Lesen Sie zuerst die Aufgabe, hören Sie dann den Text dazu. Kreuzen Sie die richtige Lösung an.

33-39

Kreuzen Sie an: ☐ a), ☐ b) oder ☐ c). Sie hören jeden Text **zweimal**.

BEISPIEL:

0 Wo ist die Lufthansa-Information?

A	B	C
☐ a) In Halle A.	☒ b) In Halle B.	☐ c) In Halle C.

1 Was kostet das Sofa?

49,00	449,00	499,00
☐ a) Neunundvierzig Euro.	☐ b) Vierhundertneunundvierzig Euro.	☐ c) Vierhunderneunundneunzig Euro.

2 Wo gibt es Lampen?

1	2	4
☐ a) Im ersten Stock.	☐ b) Im zweiten Stock.	☐ c) Im vierten Stock.

3 Was bestellt die Frau im Restaurant?

☐ a) Eier. ☐ b) Einen Salat ohne Ei. ☐ c) Hähnchen mit Pommes.

4 Wann beginnt der Kinofilm „Sams in Gefahr"?

☐ a) Um 16 Uhr. ☐ b) Um 17 Uhr. ☐ c) Um 19 Uhr.

5 Wohin gehen Katja und Sandra?

☐ a) Ins Theater. ☐ b) Ins Büro. ☐ c) Ins Kino.

6 Wie kommt Frau Zingel zur Arbeit?

☐ a) Zu Fuß. ☐ b) Mit dem Auto. ☐ c) Mit dem Taxi.

1. Lesen Sie zuerst die Fragen und die drei möglichen Antworten ganz genau.
2. Konzentrieren Sie sich beim Hören auf die Antwort. Sie müssen nicht jedes Wort verstehen! Achten Sie also zum Beispiel bei **Aufgabe 1** nur auf den **Preis**.
3. Sie hören die Texte zweimal. Beim ersten Hören lösen Sie sicher viele Aufgaben. Konzentrieren Sie sich beim zweiten Hören auf die „schwierigen" Aufgaben.

Kreuzen Sie die richtige Lösung an. Sie hören jeden Text **einmal**.

BEISPIEL:

0	Der Intercity nach Kassel fährt auf Gleis 9 ab.	~~Richtig~~	Falsch
7	Die Kunden sollen zur Kasse gehen.	Richtig	Falsch
8	Die Eltern sollen ins Untergeschoss kommen	Richtig	Falsch
9	Die Fluggäste sollen noch sitzen bleiben.	Richtig	Falsch
10	Die Fahrgäste sollen mit dem Bus fahren.	Richtig	Falsch

1 Lesen Sie zuerst die Sätze ganz genau und unterstreichen Sie in jedem Satz die wichtigste Information. Also zum Beispiel bei **Aufgabe 7**: „zur Kasse gehen".
2 Achtung: Sie hören die Texte nur einmal. Können Sie eine Aufgabe nicht lösen? Kreuzen Sie immer etwas an. Ein bisschen Glück gehört auch zu einer Prüfung.

Kreuzen Sie an: ☐ a), ☐ b) oder ☐ c). Sie hören jeden Text **zweimal**.

11 Wo treffen sich Peter und Jasmina?
- ☐ a) Im Café Palme.
- ☐ b) Zu Hause.
- ☐ c) Beim Arzt.

12 An welchem Tag hat Katja Zeit?
- ☐ a) Nächsten Montag.
- ☐ b) Nächsten Monat.
- ☐ c) Heute.

13 Die Nummer ist:
- ☐ a) 22 55 77.
- ☐ b) 255 777.
- ☐ c) 2 55 2 77.

14 Wie lange ist die Praxis geschlossen?
- ☐ a) Bis zum 13. September.
- ☐ b) Bis zum 3. September.
- ☐ c) Bis zum 30. September.

15 Was soll der Kunde abholen?
- ☐ a) Das Fahrrad.
- ☐ b) Den Fernseher.
- ☐ c) Das Radio.

1 Lesen Sie zuerst die Fragen und die möglichen Lösungen a–c ganz genau und unterstreichen Sie in jedem Satz das wichtigste Wort. Also zum Beispiel bei **Aufgabe 11**: „Wo".
2 Konzentrieren Sie sich beim Hören von **Aufgabe 11** auf den **Ort**.
3 Wie in Hören Teil 1 hören sie jeden Text zweimal. Lösen Sie beim ersten Hören die einfachen Aufgaben und konzentrieren Sie sich beim zweiten Hören auf die „schwierigen" Aufgaben.

Dieser Test hat drei Teile. Sie lesen kurze Briefe, Anzeigen etc. Zu jedem Text gibt es Aufgaben. Kreuzen Sie die richtige Lösung an.

Sind die Sätze 1–5 Richtig oder Falsch ? Kreuzen Sie an.

BEISPIEL:

0 Lisa kommt nach Berlin. Richtig ~~Falsch~~

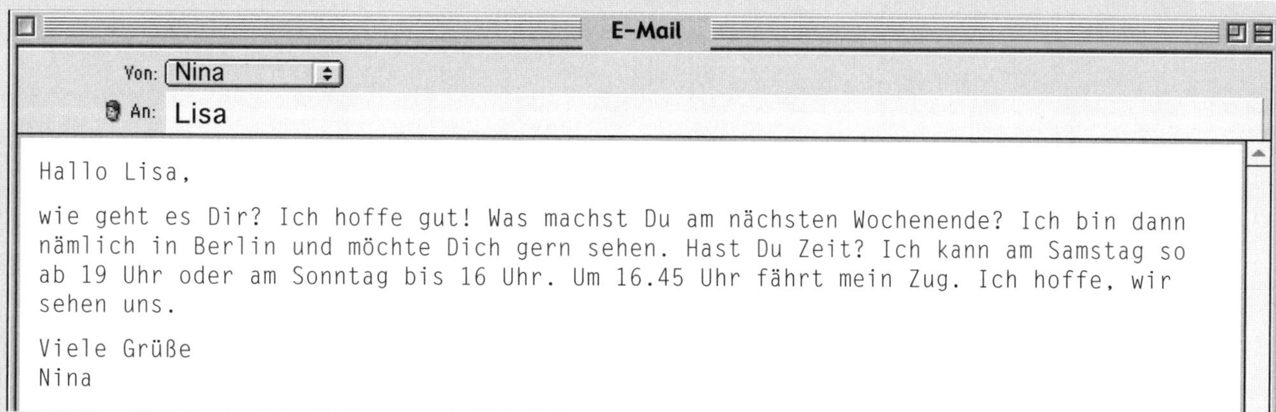

E-Mail

Von: Nina

An: Lisa

Hallo Lisa,

wie geht es Dir? Ich hoffe gut! Was machst Du am nächsten Wochenende? Ich bin dann nämlich in Berlin und möchte Dich gern sehen. Hast Du Zeit? Ich kann am Samstag so ab 19 Uhr oder am Sonntag bis 16 Uhr. Um 16.45 Uhr fährt mein Zug. Ich hoffe, wir sehen uns.

Viele Grüße
Nina

1 Nina möchte Lisa treffen. Richtig Falsch

2 Nina hat nur am Samstagabend Zeit. Richtig Falsch

Liebe Frau Karau,

am Montag fahre ich für drei Wochen in Urlaub. Ich habe eine große Bitte an Sie: Nächsten Donnerstag oder Freitag kommt ein Paket von der Firma Heine. Können Sie das bitte für mich annehmen? Ich sage dann dem Postboten Bescheid, dass er das Paket bei Ihnen lassen kann. Ich hoffe, wir sehen uns noch vor meinem Urlaub.

Herzlichen Dank und viele Grüße
Julian Eller

P.S.: Kann ich Ihnen etwas aus Spanien mitbringen?

3 Herr Eller macht drei Wochen Urlaub. Richtig Falsch

4 Frau Karau soll ein Paket von der Post abholen. Richtig Falsch

5 Herr Eller fährt nach Spanien. Richtig Falsch

1 Lesen Sie den ersten Text und die Sätze 0–2 einmal schnell durch. Jetzt kennen Sie das Thema.
2 Unterstreichen Sie in den Sätzen 0–2 die Hauptinformation. Also zum Beispiel bei **Aufgabe 1**: „Lisa treffen".
3 Lesen Sie dann den Text noch einmal: Wo steht die Hauptinformation im Text? Achtung: Die Information im Text steht oft mit anderen Wörtern. Kreuzen Sie dann „Richtig" oder „Falsch" an.
4 Machen Sie es mit dem zweiten Text genauso.

Lesen Sie die Texte und Aufgaben 6–10. Welche Anzeige passt? Kreuzen Sie an: ☐ a) oder ☐ b).

BEISPIEL:

0 Sie möchten ein Flugticket im Internet kaufen.

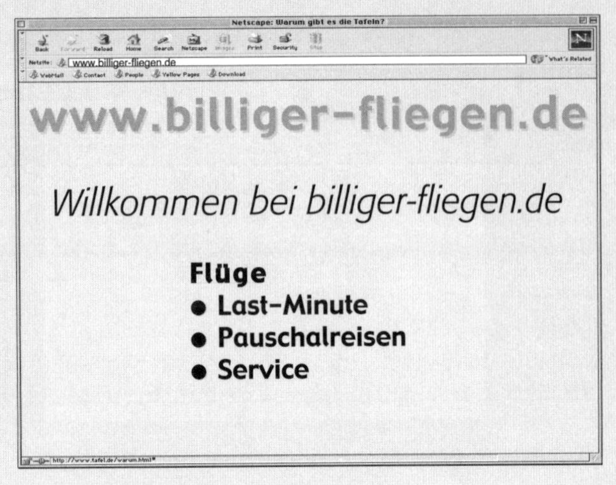

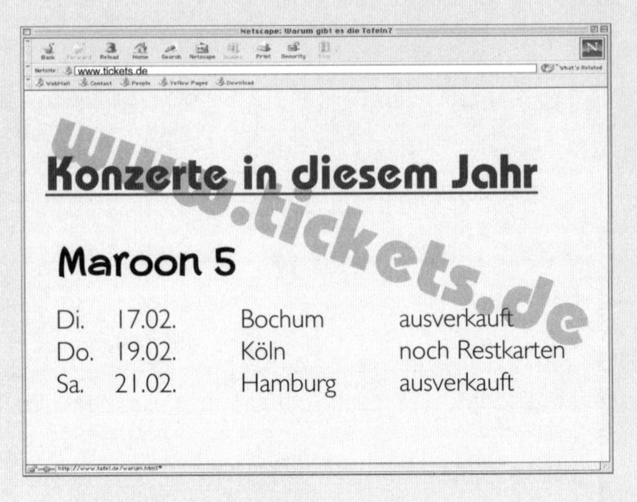

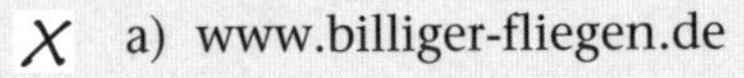

☒ a) www.billiger-fliegen.de ☐ b) www.tickets.de

6 Sie suchen einen gebrauchten Fernseher. Wo können Sie anrufen?

Verk. sehr günstige Regale, Tisch und Stühle; Tel. (abends) 01 72/6 76 89 55

Günstig!! Supercolor-TV Grundig, Top-Zustand, 110,– Tel. 01 71/6 78 91 21

☐ a) 01 72/6 76 89 55 ☐ b) 01 71/6 78 91 21

7 Sie sind drei Tage in Frankfurt und möchten sich über die kulturellen Angebote der Stadt informieren. Wo können Sie das?

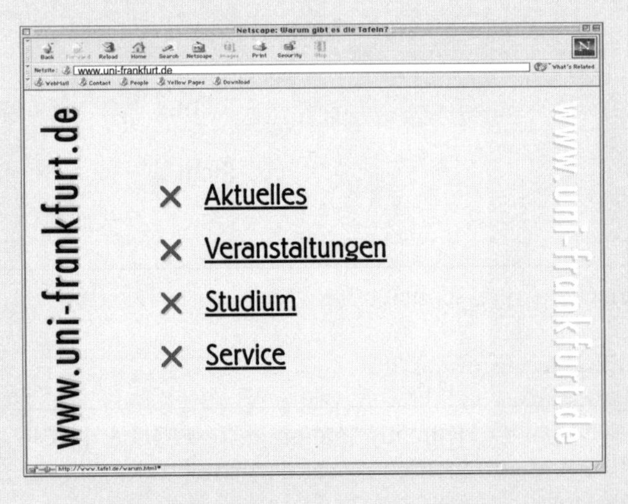

☐ a) www.uni-frankfurt.de ☐ b) www.frankfurt.de

8 Sie suchen ein Hotel in Hamburg. Wo finden Sie Informationen?

Übernachten in Hamburg
ab € 39,– pro Person
im Doppelzimmer ***
Reservierungs-Service
Tel: 040/25 00 25 und
www.hamburg-tourist-information.de

Das Monatsprogramm für
Oper – Theater – Konzert – Museen – Restaurants
Was findet **Wann** und **Wo** statt?
Abonnement € 18.40 + Porto
Tel: (0 40) 8 02 10 71 oder unter
www.hamburg-programm.de

☐ a) www.hamburg-tourist-information.de ☐ b) www.hamburg-programm.de

9 Sie sind in Stuttgart und möchten mit dem Zug am Morgen nach Leipzig fahren. Welche Information passt?

☐ a) www.reiseauskunft.bahn.de

Bahnhof	Datum	Zeit	Dauer	Umsteigen	Produkte
Stuttgart Hbf Leipzig Hbf	30.01. 30.01.	ab 09:27 an 14:35	5:08	1	ICE

☐ b) www.reiseauskunft.bahn.de

Bahnhof	Datum	Zeit	Dauer	Umsteigen	Produkte
Leipzig Hbf Stuttgart Hbf	30.01. 30.01.	ab 16:10 an 21:53	5:43	1	ICE, IC

10 Sie sind auf der Suche nach Informationen über die Ostsee. Wo finden Sie die?

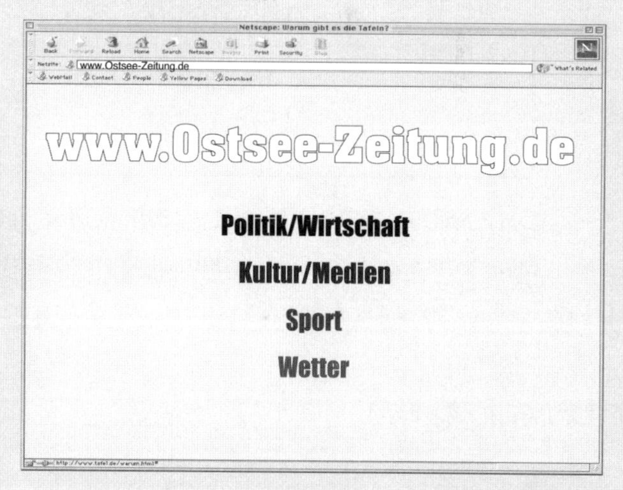

☐ a) www.ostsee.de ☐ b) www.Ostsee-Zeitung.de

1 Lesen Sie zuerst genau die Situation: Was suchen oder brauchen Sie? Also zum Beispiel bei **Aufgabe 6**: „Einen Fernseher".
2 Lesen Sie dann die beiden Anzeigen a) und b). Wo finden Sie, was Sie suchen? Kreuzen Sie a) oder b) an.

Lesen Sie die Texte und die Aufgaben 11–15.

Kreuzen Sie an: Richtig oder Falsch .

BEISPIEL:

0 In der Arztpraxis

LIEBE PATIENTEN,
AB SOFORT MÜSSEN SIE LEIDER EINE
PRAXISGEBÜHR BEZAHLEN. BITTE BRINGEN
SIE BEIM ERSTEN ARZTBESUCH PRO
QUARTAL 10 EURO MIT.

Sie müssen beim Arzt jetzt immer 10 Euro bezahlen. Richtig ~~Falsch~~

11 Beim Zahnarzt

Dr. med. Juliane Brink
Zahnärztin

Montag–Donnerstag
9.00–16.00

Freitag
9.00–12.00

Es ist Freitag, 13 Uhr. Sie haben Zahnschmerzen.
Sie können zu Frau Dr. Brink in die Sprechstunde gehen. Richtig Falsch

12 In der Bäckerei

Neu! Neu! Neu! Neu!
Jetzt sind wir auch **sonntags** für Sie da.
Sonntag 8.00–10.00 Uhr **geöffnet**!

Sie können jetzt auch den ganzen Sonntag Brötchen kaufen. Richtig Falsch

13 Am Eingang vom Supermarkt

Sie dürfen Ihren Hund nicht mit in den Supermarkt nehmen. Richtig Falsch

14 Im Kino

„Günstige Kinotage“
am Montag und Dienstag
Eintritt nur 3 Euro

Sie können nur am Montag und Dienstag ins Kino gehen. Richtig Falsch

15 Im Museum

Im Museum ist
das Filmen und Fotografieren
verboten.

Sie dürfen hier keine Fotos machen. Richtig Falsch

1 Lösen Sie die Aufgaben wie in Lesen, Teil 1.
2 Bleiben Sie nicht zu lange bei einer Aufgabe. Lösen Sie zuerst die einfachen Aufgaben und gehen Sie zum Schluss noch einmal zu den „schwierigen“ Aufgaben.

Dieser Test hat zwei Teile. Sie füllen ein Formular aus und schreiben eine kurze Mitteilung.

Ihre Freundin, Verena Schammberger, sucht Informationen über Camping-Urlaub und bestellt den Intercamp-Katalog. Sie ist verheiratet und hat drei Kinder im Alter von drei, fünf und acht Jahren. Sie wohnt im Gartenweg 10 in 44225 Dortmund. Schreiben Sie die fünf fehlenden Informationen in das Formular.

Intercamp

Name	*Schammberger*	(0)
Vorname	______	(1)
Straße/Nr.	______	(2)
Postleitzahl/Ort	______	(3)
E-Mail	*V.Schammberger@t-online.de*	
Anzahl Kinder:	______	(4)
Alter Kinder:	______	(5)

Intercamp Reisen
Postfach 1142
Bremen

1. Lesen Sie zuerst den kleinen Text über dem Formular einmal durch. Sie kennen dann das Thema.
2. Lesen Sie das Formular. Welche Informationen fehlen? Zum Beispiel bei **(1)**: „Vorname".
3. Suchen Sie dann den Vornamen im Text oben und schreiben Sie ihn in das Formular. Ergänzen Sie so alle fehlenden Informationen im Formular.
4. Haben Sie Internet? Suchen Sie nach Formularen auf Deutsch und füllen Sie sie mit Ihrem Namen, Ihrer Adresse ... aus. So können Sie üben.

Schreiben Sie Ihrem Nachbarn eine Notiz.

Eine Freundin aus Berlin kommt heute um 15 Uhr am Bahnhof an. Sie müssen bis 17 Uhr arbeiten.
Ihr Nachbar hat einen Schlüssel von Ihrer Wohnung.

- Sagen Sie dem Nachbarn, dass Sie arbeiten müssen.
- Er soll der Freundin aus Berlin den Wohnungsschlüssel geben.
- Bedanken Sie sich für die Hilfe.

Schreiben Sie zu jedem Punkt ein bis zwei Sätze.

Lieber Herr ...,

1. Lesen Sie zuerst die Aufgabe ganz genau.
2. Überlegen Sie: Was können Sie zu den drei Punkten schreiben? Machen Sie Notizen.
3. Wichtig: Schreiben Sie zu **jedem** Punkt ein bis zwei Sätze.
4. Vergessen Sie nicht Anrede und Gruß.

Dieser Test hat drei Teile. Sprechen Sie bitte in der Gruppe.

Sich vorstellen.

Name?
Alter?
Land?
Wohnort?
Sprachen?
Beruf?
Hobby?

1. In der Prüfung bekommen Sie eine Liste. Stellen Sie sich vor und erzählen Sie etwas über sich zu den Punkten oben.
2. Sie müssen auch buchstabieren können, z. B. Ihren Vornamen, und Sie müssen Zahlen nennen, z. B. Ihre Telefonnummer.
3. In diesem Prüfungsteil können Sie sehr leicht Punkte sammeln. Überlegen Sie **vor** der Prüfung Ihre Antwort auf Fragen wie zum Beispiel: *Wie heißen Sie? Woher kommen Sie? Wie alt sind Sie? Welche Sprachen sprechen Sie? …*

Um Informationen bitten und Informationen geben.

Thema: Familie	Thema: Familie
Eltern	**Geschwister**
Thema: Familie	Thema: Familie
Wohnort	**Einkaufen**
Thema: Familie	Thema: Familie
Hobby	**Wochenende**

Thema: Arbeit und Freizeit	Thema: Arbeit und Freizeit
Traumberuf	**Lieblingssport**
Thema: Arbeit und Freizeit	Thema: Arbeit und Freizeit
Mittagspause	**Auto**
Thema: Arbeit und Freizeit	Thema: Arbeit und Freizeit
Arbeitszeit	**Urlaub**

1. In der Prüfung nehmen Sie zwei Karten. Sie müssen zu zwei Themen zwei Fragen stellen und zweimal auf Fragen antworten. Auf jeder Karte steht ein **Thema** und ein **Wort**.
2. Lesen Sie das Thema, z. B. Familie. Überlegen Sie: Was haben Sie zu diesem Thema gelernt? Dann lesen Sie das Wort, z. B. Eltern. Was können Sie fragen? Stellen Sie W-Fragen, z. B.: *Wo? Was kostet? …* Also zum Beispiel: *Wie heißen Ihre Eltern?*
3. Diese Themen kommen in der Prüfung oft vor: Familie, Essen und Trinken, Einkaufen, Wohnen, Freizeit, Urlaub … Lernen Sie die wichtigen Wörter und Fragen zu diesen Themen.
4. Die Prüfung findet in einer Gruppe von 4–5 Teilnehmern statt. Die Teilnehmer fragen und antworten der Reihe nach. Achtung: Man darf nie dasselbe **Fragewort** zweimal hintereinander benutzen.

Bitten formulieren und darauf reagieren.

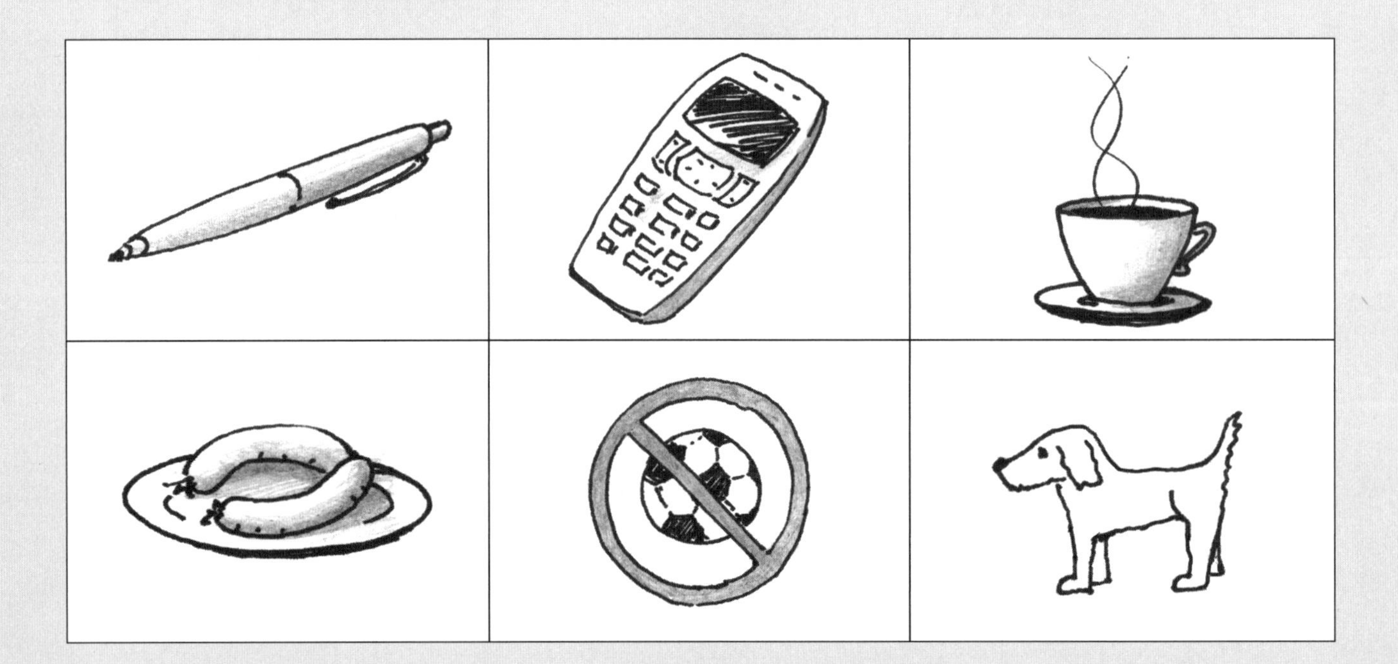

1. In der Prüfung nehmen Sie zwei Karten. Sie müssen zwei Bitten formulieren und zweimal auf Bitten antworten. Auf jeder Karte sehen Sie ein Bild.
2. Sehen Sie sich das Bild an. Sie sehen z. B. eine Orange. Wie können Sie bitten? *Du gehst doch einkaufen. Kannst du bitte ein Kilo Orangen mitbringen?* Auf die Bitte können Sie z. B. so antworten: *Ja, natürlich. Brauchst du noch etwas?*
3. Auch hier sprechen Sie in einer Gruppe von 4–5 Personen.

Lösungsschlüssel

Lektion 5

1 **1** Journalistin, **2** Fotografin, **3** Automechaniker, **4** Arzthelferin, **5** Hausmann, **6** Sekretärin, **7** Bankkauffrau, **8** Hotelfachfrau, **10** Kamerafrau, **11** Taxifahrer, **12** Friseur

2 **2** Friseur: Dialog 1, **3** Fotografin: Dialog 2, **4** Sekretärin: Dialog 5, **5** Automechaniker: Dialog 3, **6** Arzthelferin: Dialog 6

3 Friseur, Journalistin, Hotelfachfrau, Automechaniker, Kamerafrau, Fotograf, Taxifahrer, Hausmann, Bankkauffrau, Ingenieur, Sekretärin, Arzthelferin, Schauspieler, Fußballspieler, Ärztin, Fotomodell, Lokführer, Werbekauffrau, Flugbegleiterin, Kellner

4 **1** Friseur **2** Fotomodell **3** Fotograf **4** Journalistin **5** Schauspieler **6** Ingenieur

5 Kameramann, Schauspieler, Fußballspieler, Opa
kann, muss, möchte, kann, muss, möchte, muss, möchte, muss, kann

6 **2** *in der* Arztpraxis **3** *im* Restaurant **4** *beim* Film **5** *im* Flugzeug **6** *im* Kaufhaus **7** *beim* Fernsehen, *beim* Rundfunk oder *bei der* Zeitung **8** *im* Büro

7 **1** in die Disco gehen, tanzen, **2** in die Oper gehen, **3** ins Kino gehen, **4** in die Stadt gehen, **5** ins Theater gehen, **6** ins Museum gehen, **7** ins Konzert gehen, **8** Fußball spielen, **9** Karten spielen, **10** Tennis spielen, **11** schwimmen, **12** Fahrrad fahren, **13** fotografieren, **14** joggen, **15** Musik hören, **16** lesen, **17** spazieren gehen

9 **2** ins **3** zum **4** in den **5** in den **6** zum **7** ins **8** ins

10 **2** *ins* Museum **3** *zum* Pferderennen **4** *in die* Oper **5** *zum* Eishockey **6** *zur* Musikmesse **7** *ins* Theater

11 18.30 Uhr: Es ist achtzehn Uhr dreißig. / 15.20 Uhr: Es ist fünfzehn Uhr zwanzig. / 7.40 Uhr: Es ist sieben Uhr vierzig. / 19.40 Uhr: Es ist neunzehn Uhr vierzig. / 10.10 Uhr: Es ist zehn Uhr zehn. / 22.10 Uhr: Es ist zweiundzwanzig Uhr zehn. / 2.55 Uhr: Es ist zwei Uhr fünfundfünfzig. / 14.55 Uhr: Es ist vierzehn Uhr fünfundfünfzig. Es ist fünf vor drei. / 5.15 Uhr: Es ist fünf Uhr fünfzehn. / 17.15 Uhr: Es ist siebzehn Uhr fünfzehn. Es ist Viertel nach fünf. / 9.45 Uhr: Es ist neun Uhr fünfundvierzig. / 21.45 Uhr: Es ist einundzwanzig Uhr fünfundvierzig. Es ist Viertel vor zehn. / 11.03 Uhr: Es ist elf Uhr drei. / 23.03 Uhr: Es ist dreiundzwanzig Uhr drei. Es ist kurz nach elf. / 4.27 Uhr: Es ist vier Uhr siebenundzwanzig. / 16.27 Uhr: Es ist sechzehn Uhr siebenundzwanzig. Es ist kurz vor halb fünf.

12 20.00 Uhr, 19.30 Uhr, 20.00 Uhr, 20.30 Uhr, 19.30 Uhr, 22.45 Uhr, 20.30 Uhr

13 **Kino**: darf / **U-Bahn**: darf / **Theater**: muss, darf / **Tennisplatz**: kann, muss / **Supermarkt**: kann, darf / **Museum**: darf

14 **2** Er muss für die Mathearbeit lernen. **3** Sie kann nicht schwimmen. **4** Wollen wir zusammen essen gehen? **5** Eva will mit Klaus ins Kino gehen. **6** Soll ich dir auch eine Karte besorgen?

16 **1** kann **2** muss **3** kann **4** will **5** können **6** Kannst **7** soll **8** kann

18 **2** E offiziell, **3** B offiziell, **4** D informell, **5** A informell

19 **2** a, **3** c, **4** c, **5** c, **6** b

20 **1** sieben Uhr dreißig, **2** Viertel nach zwei, **3** elf Uhr sechzehn, **4** Viertel vor sechs, **5** fünfzehn Uhr zweiundvierzig

21 Ein Monat hat 4 Wochen.; Eine Woche hat 7 Tage.; Ein Tag hat 24 Stunden.; Eine Stunde hat 60 Minuten.; Eine Minute hat 60 Sekunden.

22 Der zweite Juli ist ein Mittwoch.; Der dritte September ist ein Mittwoch.; Der vierte April ist ein Freitag.; Der siebte August ist ein Donnerstag.; Der zehnte Oktober ist ein Freitag.; Der elfte Februar ist ein Dienstag.; Der zwölfte Januar ist ein Sonntag.; Der siebzehnte März ist ein Montag.; Der dreiundzwanzigste November ist ein Sonntag.; Der neunundzwanzigste Juni ist ein Sonntag.; Der sechzehnte Dezember ist ein Dienstag.
Di = Dienstag, Mi = Mittwoch, Do = Donnerstag, Fr = Freitag, Sa = Samstag, So = Sonntag

23 Am vierzehnten Februar; Am achten März; Am ersten Mai; Am ersten Juni; Am ersten August; Am dritten Oktober; Am sechsundzwanzigsten Oktober; Am fünfundzwanzigsten und sechsundzwanzigsten Dezember; Am einunddreißigsten Dezember

24 *können*: kann, kannst, kann, können, könnt, können, *müssen*: muss, musst, muss, müsst, müssen; *wollen*: will, willst, will, wollen, wollen; *sollen*: soll, sollt, sollen; *dürfen*: darfst, darf, dürfen; *möchten*: möchte, möchten, möchten

25 **2** muss **3** Möchtest **4** können **5** kann, muss **6** darf **7** Soll **8** können **9** Wollt **10** soll **11** will **12** sollt

26 **2** Kann **3** kann, muss **4** darfst **5** darf **6** darf **7** kannst/darfst **8** Kannst **9** soll, möchte/will **10** müssen

27 Willst / kann, muss / muss / kannst / muss, darf / wollen, kann (will), darf, muss / muss (soll)

28 [ai] ... ei und manchmal ai; [oy] ... eu oder äu.; [au] ... au.

31 Was heißt die „deutschsprachigen Länder"? Das weiß ich nicht genau. Ich glaube, das sind Deutschland, Österreich und die Schweiz.
Schau mal, die Einbauküche! Was meinst du? Schau mal, der Preis! Die ist einfach zu teuer.

Test: **1** c) **2** a) **3** c) **4** b) **5** a) **6** b) **7** a) **8** c) **9** b) **10** c) **11** a) **12** b) **13** c) **14** a) **15** b)

Lektion 6

1 *Eltern*: Mutter, -̈; Vater, -̈; *Geschwister*: Schwester, -n; Bruder, -̈; *Kinder*: Tochter, -̈; Sohn, -̈e; *Enkelkinder*: Enkeltochter, -̈; Enkelsohn, -̈e; *andere*: Tante, -n; Onkel, -; Schwägerin, -nen; Schwager, -̈; Nichte, -n; Neffe, -n

2 **1** Sie ist meine Schwägerin. **2** Sie ist meine Tante. **3** Das sind mein Bruder und meine Schwester. **4** Das ist mein Neffe. **5** Das sind meine Tochter und mein Sohn. **6** Das ist meine Enkeltochter / Enkelin. **8** Das sind meine Schwiegereltern. **9** Er ist mein Enkelsohn / Enkel. **10** Er ist mein Onkel.

3 **2** Mein Vater **3** meine Mutter **4** Meine Schwester **5** Mein Bruder **6** Meine **7** Mein Großvater **8** meine Großmutter

4 **1** vier Jungen und drei Mädchen **2** große Schwester = 20 Jahre, mittlerer Bruder = 10 Jahre, kleiner Bruder = 5 Jahre **3** zwei Schwestern und zwei Brüder

5 **2** doppelt so **3** genauso **4** halb so

6 **3** seinen **4** Ihre **5** unsere **6** deine **7** ihrem, ihrer **8** seinen

7 **ich:** meine, mein, mein, meine / **du:** deine, dein, deine / **sie:** ihre, ihr, ihr, ihre / **er:** seine, sein, sein / **es:** seine, sein,

sein, seine / **wir:** unsere, unser, unsere / **ihr:** eure, euer, euer, eure / **sie:** ihre, ihr, ihr, ihre / **Sie:** Ihre, Ihr, Ihr, Ihre

8 **2** seiner **3** seinem **4** ihrer **5** deinen, deinem **6** Ihrem **7** seiner **8** ihrer **9** ihren **10** euren

9 **2** Julian nimmt seine CDs und sein Fahrrad mit. **3** Frau Neser nimmt ihren Hund und ihre Katze mit. **4** Herr Santos nimmt sein Handy und seinen Computer mit. **5** Susanne nimmt ihren Freund und ihr Surfbrett mit. **6** Frau und Herr Schmitt nehmen ihre Videokamera und ihre Fahrräder mit. **7** Wir nehmen unsere Bücher und unseren Kassettenrekorder mit.

10 **2** ihr **3** ihrem **4** ihren **5** ihr **6** Ihre **7** ihr **8** ihren **9** Seine **10** Sein **11** Sein **12** Seine **13** sein **14** seine **15** seine

12 **2** richtig **3** falsch **4** richtig **5** falsch

13 **2** Absender **5** Anrede **4** Betreff **1** Datum **3** Empfänger **7** Gruß **6** Text **8** Unterschrift

14 *Name*: Virginie Dubost; *Alter*: 17 Jahre; *Wohnort*: Montpellier; *Zukunftspläne*: Sprachen studieren, Dolmetscherin werden; *Familie*: Sie versteht sich ganz gut mit ihren Eltern. Ihr Bruder ist Lehrer von Beruf, ist 25 Jahre, wohnt noch bei den Eltern, wird bald heiraten. *Hobbys*: Tennis spielen, Reiten und Tanzen; *Lieblingsfächer*: Englisch, Deutsch und Musik; *Andere Informationen*: Ihre Familie hat ein großes Ferienhaus. Sie haben oft Besuch von Freunden und Verwandten. Virginie hat einen Hund. Er heißt Jacques. Virginie hat eine nette Deutschlehrerin.

16 **2** an **3** ein **4** auf **5** ab **6** auf **7** aus / an **8** aus **9** zu (auf) **10** zu **11** an **12** mit

17 **3** Hängst … auf **4** Holst … ab **5** Kaufst … ein **6** sieht … aus **7** Räumst … auf **8** Rufst … an **9** Bestell **10** Liest … vor **11** Beeilst **12** hole … ab

18 **2** Frau Jansen muss das Geschirr abwaschen. **3** Räumt ihr bitte eure Spielsachen auf! **4** Sarah, besuch(e) doch mal wieder deine Großeltern! **5** Liest du uns eine Geschichte vor? **6** Ich bezahle mit Scheck. **7** Soll ich die Kinder von der Schule abholen? **8** Kannst du im Kindergarten anrufen?

19 *trennbar:* 1, 7, 10 *nicht trennbar:* 2, 3, 4, 5, 6, 8, 9

23 **[p]** … **p**aar, lie**b**t, Schrei**b**tisch Urlau**b** **[b]** **B**ier, Novem**b**er **[t]** Lie**d**, Li**t**er, Sü**d**amerika **[d]** mo**d**ern, Lie**d**er **[k]** Ta**g**, fra**g**t, schi**ck**, Stü**ck**e **[g]** Fra**g**e „b" = [p]: halb, Schreibtisch.; „d" = [t]: Lied, Südamerika; „g" = [k]: Tag; „ck" = [k]: schick, Stücke

24 **[p]** ha**b**t ihr Zeit?, a**b** und zu, es gi**b**t, O**b**st und Gemüse, sieben Tage Urlau**b**, am lie**b**sten **[t]** tut mir lei**d**, bal**d** geht's los, nach Deutschlan**d**; **[k]** Guten Ta**g**, Sonnta**g** zum Mitta**g**essen, wohin flie**g**t ihr?

26 **2** in **3** an **4** hinter **5** vor **6** neben **7** zwischen **8** über **9** auf

27 *keine Bewegung*: hängen, sitzen, stehen, sein; *Bewegung von A nach B*: laufen, (sich) legen, kommen, (sich) setzen, stellen

28 **A** **2** neben dem **3** an dem **4** auf dem **5** in dem **6** In dem **7** neben dem **8** in der **9** über dem **10** auf dem
B **2** in den **3** in den **4** in das **6** in das **7** in die **8** auf den **9** in den **10** in den

29 **2** ins **3** aufs **4** im **5** am **6** ins **7** auf dem / am **8** im **9** auf dem **10** in den **11** im **12** ans

30 **1** schreiben an + Akk. / erzählen von + Dat. / berichten über + Akk. / bitten um + Akk. **2** schreiben an + Akk. / schreiben über + Akk. / erzählen über + Akk. / berichten von + Dat. / bitten um + Akk. **3** erzählen von + Dat. / denken an + Akk. / sprechen mit + Dat. + über + Akk.

31 *an + Akk*: schreiben an International Penfriends; denken an den Nachmittag; *mit + Dat*: sprechen mit den Kindern, sprechen mit ihrem Mann; *über + Akk.*: berichten über ihre Hobbys, erzählen über ihre Zukunftspläne, schreiben über ihre Hobbys, sprechen über den Tag; *von + Dat.*: berichten von den Ferien, erzählen von ihrer Familie / der Schule; *um + Akk.*: bitten um weitere Informationen

Test: **1** b) **2** c) **3** c) **4** c) **5** a) **6** b) **7** b) **8** a) **9** c) **10** b) **11** a) **12** b) **13** a) **14** c) **15** c)

Lektion 7

1 **2** die Leute gehen durch die Straßen und tanzen, zum Beispiel beim Karneval **3** hier kann man in ein Geschäft, in ein Haus, in den Zoo gehen **4** der Affe, -n; der Bär, -en; der Tiger, - **5** ein kleiner See **6** Gras und kleine Blumen **7** das deutsche Parlament **8** hier sind wichtige Gebäude der Regierung **9** man kann von einem Ort aus etwas gut sehen **10** das Symbol für eine Stadt

3 **1** Touristen-Information **2** Museum **3** Theater **4** Hotel **5** Jugendherberge **6** Kirche **7** Post **8** Polizei **10** Zoo **11** S-Bahn **12** U-Bahn

4 **1** Fahrrad **2** Flugzeug **3** Bus **4** Taxi **5** Auto **6** Zug **7** Straßenbahn **8** Motorrad **9** S-Bahn **10** U-Bahn

5 **2** mit dem … ins **3** mit dem … zum **4** mit dem … nach **5** zu … zur **6** mit dem … in (den)

6 Dialog 2: Supermarkt; Dialog 3: Hotel „Zur Post"; Dialog 4: Zoo

7 **1** Ja, gehen Sie hier links in die Friedrichstraße … Neben dem Hotel ist gleich eine. **2** Ja, fahren Sie die Friedrichstraße immer geradeaus … Da kommt auf der linken Seite ein Supermarkt. **3** Das ist die Berliner Straße. **4** Ja, nehmen Sie lieber die U-Bahn. Die fährt hier gleich am Dom. **5** Fahren Sie die Berliner Straße immer geradeaus, dann rechts und dann gleich wieder links, …

10 **2** Dort haben wir ein schönes Hotel gesucht. **3** Am nächsten Tag sind wir mit der S-Bahn zum Brandenburger Tor gefahren. / Wir sind am nächsten Tag mit der S-Bahn zum Brandenburger Tor gefahren. **4** Dort haben wir viele Fotos gemacht. / Wir haben dort viele Fotos gemacht. **5** Dann haben wir zu Mittag gegessen. **6** Am Nachmittag sind wir in den Zoo gegangen. / Wir sind am Nachmittag in den Zoo gegangen. **7** Am Abend sind wir in die Disco gegangen und sind bis zum frühen Morgen geblieben. / Wir sind am Abend in die Disco gegangen und sind bis zum frühen Morgen geblieben. **8** Heute Morgen haben wir lange gefrühstückt und Zeitung gelesen. / Heute Morgen haben wir Zeitung gelesen und lange gefrühstückt. / Wir haben heute Morgen lange gefrühstückt und Zeitung gelesen.

11 **1** geblieben **2** gefrühstückt **3** gegessen **4** gefahren **5** gefragt **6** gegangen **7** gekauft **8** gelesen **9** gemacht **10** geschlafen **11** gesucht **12** getrunken

12 *regelmäßig*: gesucht, gekauft, gemacht, gefrühstückt; *unregelmäßig*: (hat) gegessen, (hat) gelesen, (hat) getrunken, (ist) gegangen, (ist) geblieben, (hat) geschlafen

13 **2** Sie haben die Gemäldegalerie gesucht. **3** Sie haben (dann) einen Taxifahrer nach dem Weg gefragt. **4** Dann sind sie zwei Stunden im Museum geblieben. / Sie sind dann zwei Stunden im Museum geblieben. **5** Sie haben (später/dann) in einem Café Kuchen gegessen und Kaffee getrunken. **6** Sie sind wieder nach Hause gefahren. / Am Abend / Schließlich sind sie wieder nach Hause gefahren.

14 **2** ist … passiert **3** hat … geklappt **4** hatte **5** habe … kennengelernt **6** habe … gesehen **7** gemacht **8** war **9** hast … gemacht
16 **1** Dich **2** Dich, Dich, Dich **3** mich, euch **4** mich **5** es **6** uns
17 **2** ihn **3** sie **4** mich, ihn **5** sie **6** mich **7** euch **8** uns, euch
18 *ich*: mir, mich; *sie*: ihr, sie; *er*: ihm, ihn; *es*: es; *wir*: uns, uns; *sie*: ihnen, sie
19 **1** Ihnen **2** Uns **3** ihn **5** uns **6** Sie **7** sie **8** mich **9** ihm
21 **2** Lieblingsbuch **3** Lieblingsmusik **4** Lieblingsplatz **5** Lieblingssprache **6** Lieblingsgetränk **7** Lieblingsfarbe **8** Lieblingsgedicht
25 am Samstag, am | Anfang, das passende, Wochen | ende, bitte sortieren, bitte | ordnen, heute nur, neun | Uhr, Sie können, ge | öffnet, ich | übe, ich bin müde, ein | Urlaub, im | August, ein | Erdbeer|eis, Basmatireis
26 in | Berlin, mein Freund | in Sofia, meine Freundin Sofia, einen Termin ver | einbaren, um | acht | Uhr, oder | erst | um | elf?, Meister, heißt | er, nicht vergessen, etwas | essen
27 Am Wochenende ist das Wohnungsamt nicht geöffnet. Ein Urlaub in Berlin ist immer interessant. Ich hätte gern ein Erdbeereis und einen Eiskaffee.
30 **1** Na, das weiß ich auch nicht. **2** Aber fragen Sie doch mal einen Polizisten. **3** Haben Sie keine Augen im Kopf? **4** Na, da. Gucken Sie mal richtig hin. **5** Genau, jetzt haben Sie es (verstanden). **6** Jetzt verstehen Sie mich. **7** Nichts für ungut. **8** Das ist die Friedrichstraße.
Test: **1** a) **2** b) **3** b) **4** c) **5** c) **6** c) **7** c) **8** a) **9** a) **10** c) **11** a) **12** b) **13** a) **14** a) **15** c)

Lektion 8

Modelltest

Hören
Teil 1 **1** b) **2** c) **3** b) **4** b) **5** a) **6** c)
Teil 2 **7** richtig **8** falsch **9** richtig **10** richtig
Teil 3 **11** a) **12** a) **13** c) **14** b) **15** c)

Lesen
Teil 1 **1** richtig **2** falsch **3** richtig **4** falsch **5** richtig
Teil 2 **6** b) **7** b) **8** a) **9** a) **10** a)
Teil 3 **11** falsch **12** falsch **13** richtig **14** falsch **15** richtig

Schreiben
Teil 1 **1** Verena **2** Gartenweg 10 **3** 44225 Dortmund **4** drei **5** drei, fünf und acht

Grammatik

Seite 127–150

Übersicht

I Der Laut

II Das Wort

Das Verb

Das Nomen

Die Artikelwörter und Pronomen

Die Adjektive

Die Adverbien

Die Präpositionen

Die Konjunktionen

Die Modalpartikeln

Die Zahlen

Die Wortbildung

III Der Satz

I Der Laut

§ 1 Das Alphabet

Aa [a:] Bb [be:] Cc [tse:] Dd [de:] Ee [e:] Ff [ɛf] Gg [ge:]
Hh [ha:] Ii [i:] Jj [jɔt] Kk [ka:] Ll [ɛl] Mm [ɛm] Nn [ɛn]
Oo [o:] Pp [pe:] Qq [ku:] Rr [ɛr] Ss [ɛs] Tt [te:] Uu [u:]
Vv [fao] Ww [ve:] Xx [iks] Yy [ypsilɔn] Zz [tset]

Umlaute: Ää [ɛ:] Öö [ø:] Üü [y:]

Diphthonge: Ei/ei [ai] Au/au [ao] Eu/eu/Äu/äu [oi]

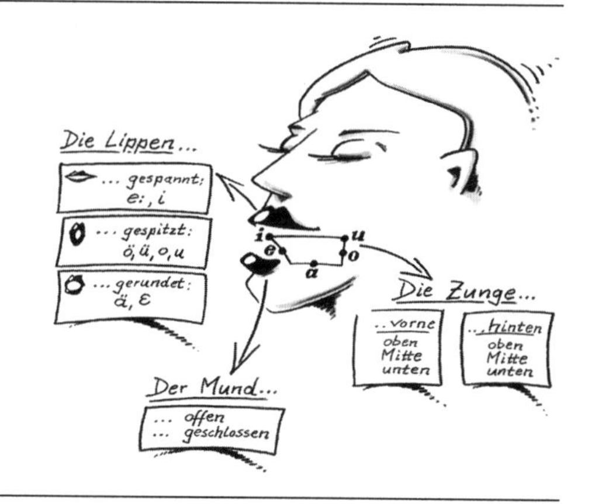

[e:] bedeutet lange sprechen!

§ 2 Die Vokale, Umlaute und Diphthonge

schreiben:	sprechen:	Beispiel:
a	[a]	dann, Stadt
a, aa, ah	[a:]	Name, Paar, Fahrer
e	[ɛ]	kennen, Adresse
	[ə]	kennen, Adresse
e, ee, eh	[e:]	den, Tee, nehmen
i	[ɪ]	Bild, ist, bitte
i, ie, ich	[i:]	gibt, Spiel, ihm
ie	[jə]	Familie, Italien
o	[ɔ]	doch, von, kommen
o, oo, oh	[o:]	Brot, Zoo, wohnen
u	[ʊ]	Gruppe, hundert
u, uh	[u:]	gut, Stuhl
y	[y]	Gymnastik, System

Umlaute		
ä	[ɛ]	Gäste, Länder
ä, äh	[ɛ:]	spät, wählen
ö	[œ]	Töpfe, können
ö, öh	[ø]	schön, fröhlich
ü	[y]	Stück, Erdnüsse
ü, üh	[y:]	üben, Stühle

Diphthonge		
ei, ai	[ai]	Weißwein, Mai
eu, äu	[ɔy]	teuer, Häuser
au	[aʊ]	Kaufhaus, laut

§ 3 Die Konsonanten und Konsonantenverbindungen

Konsonanten		
b*, bb	[b]	Bier, Hobby
d*	[d]	denn, einladen
f, ff	[f]	Freundin, Koffer
g*	[g]	Gruppe, Frage
h	[h]	Haushalt, hallo
j	[j]	Jahr, jetzt
k, ck	[k]	Küche, Zucker
l, ll	[l]	Lampe, alle
m, mm	[m]	mehr, Kaugummi
n, nn	[n]	neun, kennen
p, pp	[p]	Papiere, Suppe
r, rr, rh	[r]	Büro, Gitarre, Rhythmus
s, ss	[s]	Eis, Adresse
	[z]	Sofa, Gläser
t, tt, th	[t]	Titel, bitte, Methode
v	[f]	verheiratet, Dativ
	[v]	Vera, Verb, Interview
w	[v]	Wasser, Gewürze
x	[ks]	Infobox, Text
z	[ts]	Zettel, zwanzig

*am Wortende / am Silbenende		
-b	[p]	Urlaub, Schreibtisch
-d, -dt	[t]	Fahrrad, Stadt
-g	[k]	Dialog, Tag
-ig	[ç]	günstig, ledig
-er	[ɐ]	Mutter, vergleichen

Konsonanten in Wörtern aus anderen Sprachen		
c	[s]	City
	[k]	Computer, Couch
ch	[ʃ]	Chance, Chef
j	[dʒ]	Jeans, Job
ph	[f]	Alphabet, Strophe

Konsonantenverbindungen		
ch	[ç]	nicht, rechts, gleich, Bücher
	[x]	acht, noch, Besuch, auch
	[k]	Chaos, sechs
ng	[ŋ]	langsam, Anfang
nk	[ŋk]	danke, Schrank
qu	[kv]	Qualität
sch	[ʃ]	Tisch, schön
-t- vor -ion	[ts]	Lektion, Situation

am Wortanfang / am Silbenanfang		
st	[ʃt]	stehen, verstehen
sp	[ʃp]	sprechen, versprechen

§ 4 Der Wortakzent

1. Der Akzent im Wort

Der Wortakzent ist in deutschen Wörtern immer auf der Stammsilbe .

gehen, kommen, Deutschbuch, Küche

Der Wortakzent in nicht-deutschen Wörtern ist auf der zweitletzten oder auf der letzten Silbe.

Computer, telefonieren, Polizei, Dialog, Hotel

2. Der Wortakzent: kurz oder lang?

Akzentvokal	Regel
langer Vokal [a]	1. Vokal + h *sehr, zehn, Jahre, Zahl* 2. Vokal + Vokal *Boot, Tee, Lied, Eis* 3. Wortstamm-Vokal + 1 Konsonant *gut, Weg, geben, haben*
kurzer Vokal [a]	1. Vokal + Doppelkonsonant *kommen, Wasser, Gruppe, bitte* 2. Vokal + 2 oder 3 Konsonanten *ich, ist, richtig, ganz, kurz*

II Das Wort

Das Verb

§ 5 Der Infinitiv = die Grundform des Verbs

*ess**en**, heiß**en**, komm**en**, geh**en***

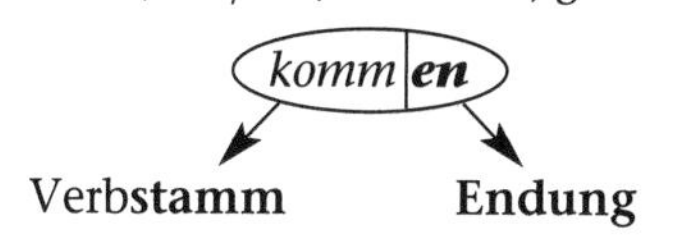

Im Wörterbuch stehen die Verben immer im Infinitiv.

§ 6 Die Konjugation im Präsens

Singular	Verbstamm + Endung
1. Person: **ich**	komm**e**
2. Person: **du**	komm-**st**
3. Person: **sie / er / es /man**	komm-**t**
Plural	
1. Person: **wir**	komm-**en**
2. Person: **ihr**	komm-**t**
3. Person: **sie / Sie**	komm-**en**

§ 7 Unregelmäßige Verben im Präsens

1. sein / haben

	sein	haben	werden
ich	bin	habe	werde
du	bist	hast	wirst
sie / er / es / man	ist	hat	wird
wir	sind	haben	werden
ihr	seid	habt	werdet
sie / Sie	sind	haben	werden

2. Verben mit Vokalwechsel in der 2. und 3. Person Singular

Vokalwechsel e → i, e → ie

	2. Person Singular	3. Person Singular
sprechen	**du** sprichst	**sie / er / es / man** spricht
nehmen	du nimmst	sie / er / es / man nimmt
sehen	du siehst	sie / er / es / man sieht
lesen	du liest	sie / er / es / man liest
geben	du gibst	sie / er / es / man gibt
essen	du isst	sie / er / es / man isst
helfen	du hilfst	sie / er / es / man hilft

Vokalwechsel a → ä

	2. Person Singular	3. Person Singular
schlafen	**du** schläfst	**sie / er / es / man** schläft
tragen	du trägst	sie / er / es / man trägt
fahren	du fährst	sie / er / es / man fährt

§ 8 Trennbare und nicht-trennbare Verben

1. Trennbare Verben

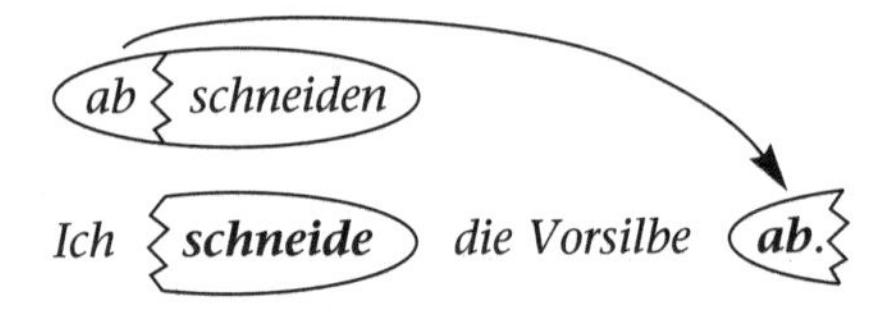

*Ruth **holt** Anna vom Kindergarten **ab**.*

*Thomas **steht** um 7 Uhr **auf** und macht das Frühstück.*

Vor-	Stammsilbe
ab-	holen
ab-	stellen
auf-	stehen
auf-	hängen
auf-	räumen

Vor-	Stammsilbe
an-	machen
an-	ziehen
aus-	sehen
aus-	machen
ein-	packen
ein-	kaufen

Vor-	Stammsilbe
mit-	gehen
zu-	hören
vor-	lesen

Trennbare Verben:	Wortakzent ●○○○	vorlesen
Untrennbare Verben:	Wortakzent ○●○	erklären

2. Nicht-trennbare Verben

beginnen

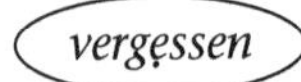

ergänzen

Die Lehrerin erklärt die Verben.

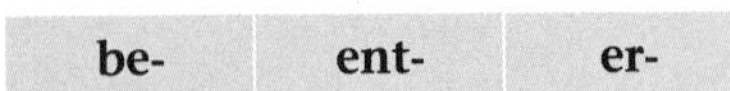

ver-	zer-	wider-

§ 9 Der Imperativ

1. Der Gebrauch des Imperativs

Setzen Sie sich doch, bitte!

Die Bitte:	**Gib** mir das Wörterbuch, *bitte*!
Der Tipp:	**Kauf** ihnen *doch* ein paar Süßigkeiten!
Der Befehl:	**Gib ihr** *sofort* das Feuerzeug!
Das Verbot:	**Spiel** *nicht* mit dem Feuer!

2. Die Form des Imperativs

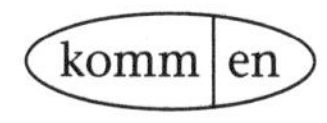

Infinitiv	du	ihr	Sie
kommen	Komm -!	Komm -t!	Komm -en Sie!
kaufen	Kauf -!	Kauf -t!	Kauf -en Sie!
▶ geben	Gib -!	Geb -t!	Geb -en Sie!

3. Position im Satz

	Position 1	Position 2
Per du:	*Komm*	*doch mal zu einem Kaffee!*
Per Sie:	*Schauen*	*Sie doch mal bei den Milchprodukten!*

4. Imperativ bei trennbaren Verben

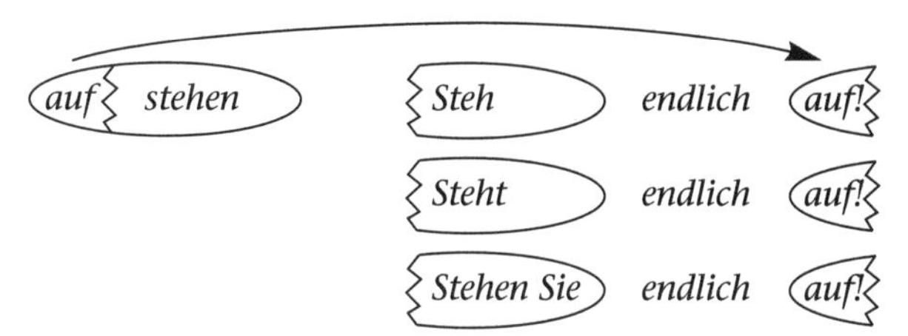

§ 10 Die Modalverben

Im Deutschen gibt es 6 Modalverben:

dürfen **können** **möchten** **müssen** **sollen** **wollen**

1. Position im Satz

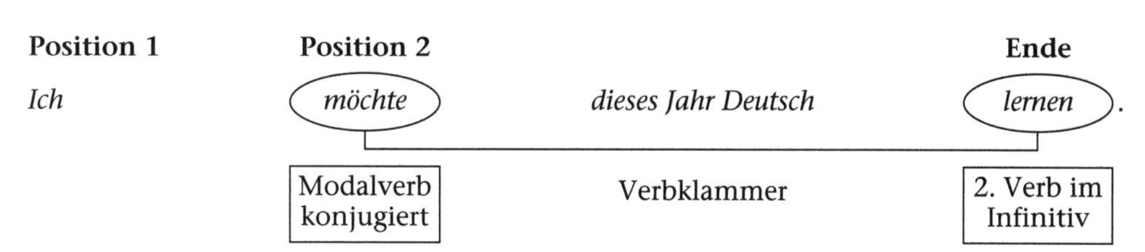

2. Die Bedeutung der Modalverben

dürfen	können	möchten (mögen)	müssen	sollen	wollen
Erlaubnis und Verbot	Möglichkeit	Wunsch	Notwendigkeit	Angebot/ Vorschlag	starker Wunsch/ Wille
Ich **darf** heute lange schlafen.					
Ich **darf** heute **nicht** lange schlafen.	Ich **kann** schlafen oder fernsehen.	Ich **möchte** jetzt schlafen.	Ich **muss** mehr schlafen.	Ich **soll** schlafen.	Ich **will** schlafen.

3. Konjugation der Modalverben im Präsens

	müssen	sollen	wollen	können	dürfen	möchten
ich	muss	soll	will	kann	darf	möchte
du	musst	sollst	willst	kannst	darfst	möchtest
sie/er/es/man	muss	soll	will	kann	darf	möchte
wir	müssen	sollen	wollen	können	dürfen	möchten
ihr	müsst	sollt	wollt	könnt	dürft	möchtet
sie/Sie	müssen	sollen	wollen	können	dürfen	möchten

§11 Das Perfekt

1. Position im Satz

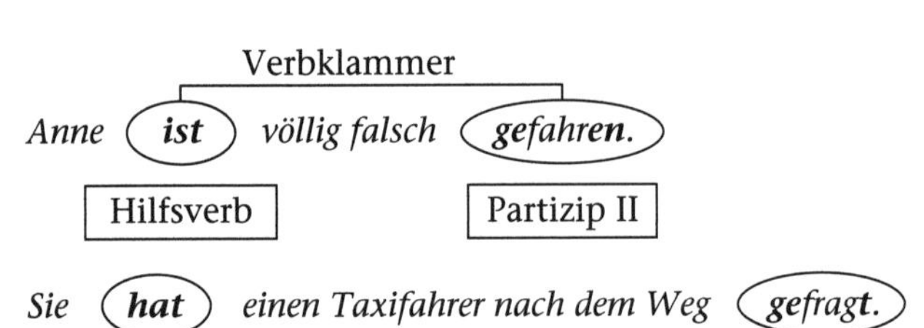

Verbklammer
Anne ist völlig falsch gefahren.
Hilfsverb
Partizip II
Sie hat einen Taxifahrer nach dem Weg gefragt.
Aber er hat sie in die falsche Richtung geschickt.

„sein" und „haben" sind **Hilfsverben**.
Sie werden konjugiert.
„gefahren", „gefragt" und „geschickt" sind Verben im **Partizip II**.
→ **Perfekt = Hilfsverb + Partizip II**

2. Die Hilfsverben im Perfekt: „sein" oder „haben"?

Hilfsverb „**haben**":
Die meisten Verben bilden das Perfekt mit „haben".

Hilfsverb „**sein**":
a) Bewegung → Ziel
(z. B. *gehen, fliegen, kommen*)
b) die Verben **sein, bleiben** und **werden**

	sein	haben
ich	bin	habe
du	bist	hast
sie/er/es/man	ist	hat
wir	sind	haben
ihr	seid	habt
sie/Sie	sind	haben

3. Die Partizip-II-Formen

regelmäßige Verben	unregelmäßige Verben
ge.../(e)t	ge.../en
(gemacht/geöffnet)	(geschlafen)

§12 Das Präteritum

Die Hilfsverben im Präteritum

	sein	haben	werden
ich	war	hatte	wurde
du	warst	hattest	wurdest
sie/er/es/man	war	hatte	wurde
wir	waren	hatten	wurden
ihr	wart	hattet	wurdet
sie/Sie	waren	hatten	wurden

... als ich jung war, hatte ich einen Alfa Romeo.

§ 13 Das Verb und seine Ergänzungen

Papa, *kaufst* *du* *uns* *ein Eis?*

Verb + Ergänzungen

Verben mit einer Nominativ-Ergänzung
(schwimmen, schlafen, arbeiten etc.)

Nominativ-Ergänzung: „Vera" — arbeiten

Vera *arbeitet*.
NOM

Verben mit einer Nominativ- und einer Akkusativ-Ergänzung
(trinken, essen, sehen, hören, lesen etc.)

NOM — trinken — Akkusativ-Ergänzung: „einen Tee"

Vera *trinkt* *einen Tee*.
NOM AKK

Verben mit einer Nominativ- und einer Dativ-Ergänzung
(helfen, gefallen, danken etc.)

NOM — helfen — Dativ-Ergänzung: „mir"

Vera, *hilfst* *du* *mir* *bitte?*
NOM NOM DAT

Verben mit einer Nominativ- und einer Akkusativ- und einer Dativ-Ergänzung
(schreiben, kaufen, geben, nehmen, zeigen etc.)

NOM — schreiben — AKK
Dativ-Ergänzung: „ihrer Mutter"

Vera *schreibt* *ihrer Mutter* *einen Brief*.
NOM DAT AKK

§ 14 Das Nomen und der Artikel

Artikel	feminin ♀	maskulin ♂	neutrum
bestimmter Artikel	**die** Küche	**der** Herd	**das** Handy
unbestimmter Artikel	**eine** Küche	**ein** Herd	**ein** Handy
negativer Artikel	**keine** Küche	**kein** Herd	**kein** Handy

▶ Manchmal entspricht das Genus dem natürlichen Geschlecht:
die Frau, die Kellnerin, die Brasilianerin
der Mann, der Kellner, der Brasilianer

1. Genusregeln

feminine Nomen	maskuline Nomen	neutrale Nomen
Endung:	Endung:	**Ge-:** das Genus
-e die Lampe	**-ant** der Elefant	das Gespräch
-heit die Freiheit	**-ent** der Student	Endung:
-keit die Möglichkeit	**-eur** der Friseur	**-chen** das Mädchen
-ung die Wohnung	**-ist** der Tourist	**-zeug** das Spielzeug
-ion die Million		
-ie die Energie		
	Wochentage:	
	der Montag, der Dienstag ...	
Früchte:		
die Banane	**Jahreszeiten:**	
aber: der Apfel,	der Frühling	
der Pfirsich		
	Alkohol:	
	der Wein, der Wodka	
	aber: das Bier	

2. Nomen, die ohne Artikel benutzt werden

Namen:	Hallo, Nikos! Sind Sie Frau Bauer?
Berufe:	Er ist Fahrer von Beruf. Ich bin Lehrerin.
Unbestimmte Stoffangaben:	Nehmen Sie Zucker oder Milch? – Zucker, bitte.
Städte und Länder:	*Kommen Sie aus Italien? – Ja, ich komme aus Rom.* Ich fahre nach + (Land/Stadt ohne Artikel). Ich komme aus + (Land/Stadt ohne Artikel).
! Länder mit Artikel	*Ich fahre in die Türkei. Ich fahre in den Iran.* *Ich komme aus der Türkei. Ich komme aus dem Iran.* Ich fahre in + (Artikel im Akkusativ + Land). Ich komme aus + (Artikel im Dativ + Land).

die Schweiz	**der** Iran	**die** Vereinigten Staaten / die USA
die Türkei	der Irak	die Niederlande
die Volksrepublik China	der Sudan	die Philippinen
...	...	...

§15 Das Nomen im Singular und Plural

Der Artikel im Plural heißt „**die**".

die Lampe, -n = **die** Lampen
der Schrank, ¨e = **die** Schränke
das Bett, -en = **die** Betten

-n / -en	-e / ¨e	-s	-er / ¨er	- / ¨
die Lampe, -n	der Apparat, -e	das Foto, -s	das Ei, -er	der Computer, -
die Tabelle, -n	der Tisch, -e	das Büro, -s	das Bild, -er	der Fernseher, -
die Flasche, -n	der Teppich, -e	das Studio, -s	das Kind, -er	der Staubsauger, -
das Auge, -n	das Feuerzeug, -e	das Kino, -s	das Fahrrad, ¨er	der Fahrer, -
die Regel, -n	das Problem, -e	das Auto, -s	das Glas, ¨er	das Zimmer, -
die Nummer, -n	das Stück, -e	das Sofa, -s	das Haus, ¨er	das Theater, -
die Wohnung, -en	der Stuhl, ¨e	der Kaugummi, -s	das Land, ¨er	der Vater, ¨
die Lektion, -en	der Ton, ¨e	der Lolli, -s	das Buch, ¨er	der Sessel, -
die Süßigkeit, -en	die Hand, ¨e	der Lerntipp, -s	das Wort, ¨er	der Flughafen, ¨
…	…	der Luftballon, -s	der Mann, ¨er	…
		…	…	

▶ Aus **a, o, u** wird im Plural oft **ä, ö, ü**: der Mann, ¨er (= *die Männer*). Von einigen Nomen gibt es keine Singular-Form (zum Beispiel: *die Leute*) oder keine Plural-Form (zum Beispiel: *der Zucker, der Reis*).

§16 Die Kasus

1. Deklination des bestimmten Artikels

Singular	feminin	maskulin	neutrum
Nominativ	**die** Küche	**der** Herd	**das** Handy
Akkusativ	**die** Küche	**den** Herd	**das** Handy
Dativ	**der** Küche	**dem** Herd	**dem** Handy
Plural			
Nominativ	**die** Küchen/Herde/Handys		
Akkusativ	**die** Küchen/Herde/Handys		
Dativ	**den** Küchen/Herde**n**/Handys		

__Der__ Igel ist im Garten.
Sofie findet __den__ Igel.
Sofie spricht mit __dem__ Igel.

2. Deklination des unbestimmten Artikels

Singular	feminin	maskulin	neutrum
Nominativ	**eine** Küche	**ein** Herd	**ein** Handy
Akkusativ	**eine** Küche	**einen** Herd	**ein** Handy
Dativ	**einer** Küche	**einem** Herd	**einem** Handy
Plural			
Nominativ	- Küchen	- Herde	- Handys
Akkusativ	- Küchen	- Herde	- Handys
Dativ	- Küchen	- Herde**n**	- Handys

▶ Der unbestimmte Artikel im Plural heißt Nullartikel.

3. Deklination des Negativartikels

Singular	feminin	maskulin	neutrum
Nominativ	**keine** Küche	**kein** Herd	**kein** Handy
Akkusativ	**keine** Küche	**keinen** Herd	**kein** Handy
Dativ	**keiner** Küche	**keinem** Herd	**keinem** Handy
Plural			
Nominativ	**keine** Küchen/Herde/Handys		
Akkusativ	**keine** Küchen/Herde/Handys		
Dativ	**keinen** Küchen/Herde**n**/Handys		

Die Artikelwörter und Pronomen

§ 17 Die Personalpronomen

		Nominativ	Akkusativ	Dativ
Singular	1. Person	ich	mich	mir
	2. Person	du	dich	dir
	3. Person	sie	sie	ihr
		er	ihn	ihm
		es	es	ihm
Plural	1. Person	wir	uns	uns
	2. Person	ihr	euch	euch
	3. Person	sie	sie	ihnen
Formelle Anrede		Sie	Sie	Ihnen

Hallo, Nikos! Wir sind hier!
Hallo, ihr beiden! Wie geht es euch?
Danke, uns geht es gut!

§ 18 Die Possessiv-Artikel

1. Formen

	als Artikel
ich	**mein** Fahrrad
du	**dein** Fahrrad
sie	**ihr** Fahrrad
er	**sein** Fahrrad
es	**sein** Fahrrad
wir	**unser** Fahrrad
ihr	**euer** Fahrrad
sie	**ihr** Fahrrad
Sie	**Ihr** Fahrrad

2. Deklination von „mein"

Singular	feminin	maskulin	neutrum
Nominativ	meine Tante	mein Onkel	mein Kind
Akkusativ	meine Tante	mein**en** Onkel	mein Kind
Dativ	mein**er** Tante	mein**em** Onkel	mein**em** Kind
Plural			
Nominativ	meine Tanten/Onkel/Kinder		
Akkusativ	meine Tanten/Onkel/Kinder		
Dativ	mein**en** Tanten/Onkel**n**/Kinder**n**		

§ 19 Die Artikel als Pronomen

Die bestimmten und unbestimmten Pronomen ersetzen bekannte Namen oder Nomen. Man dekliniert sie genauso wie die Artikel. ➜ **§ 16**

Der Tisch ist doch toll.	***Den** finde ich nicht so schön.*
Wie findest du das Sofa?	***Das** ist zu teuer.*
Schau mal, die Stühle!	*Ja, **die** sind nicht schlecht.*
Wir brauchen noch eine Stehlampe.	*Wie findest du denn **die** da vorne?*
Wo finde ich Hefe?	*Tut mir leid, wir haben **keine** mehr. Die kommt erst morgen wieder rein.*
Hast du einen Computer?	*Ja, ich habe **einen**.*
Hat Tom ein Fahrrad?	! *Ich glaube, er hat **eins**.*
	! *Nein, er hat **keins**.*

Die Adjektive

§ 20 Das Adjektiv im prädikativen Gebrauch

*Die Stühle sind **bequem**.*
*Den Teppich finde ich **langweilig**.*
*Ich finde die Film-Tipps **interessant**.*
*Als Lokführer muss man **flexibel** sein.*

Der Sessel ist bequem!

Das Gegenteil
groß ≠ klein | interessant ≠ langweilig | teuer ≠ billig | bequem ≠ unbequem

Die Adverbien

§ 21 Zeit-, Häufigkeits- und Ortsangaben

1. Zeitangaben (Wann?/Wie lange?)

heute | morgen | gestern | jetzt | lange | gleich | …

Hast du heute Zeit? – Nein, aber morgen.

2. Häufigkeitsangaben (Wie häufig?)

nie | selten | manchmal | oft | meistens | immer | fast nie | immer öfter | fast immer

3. Orts- und Richtungsangaben

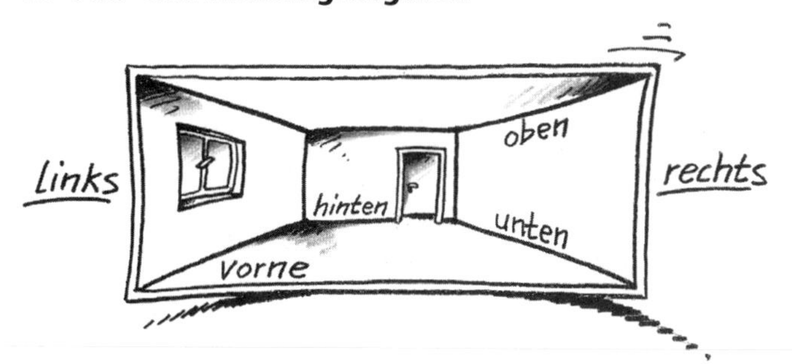

Wo finde ich den Kaffee?
*Im nächsten Gang **rechts oben**.*
*Und die Milch finden Sie **gleich hier vorne**.*
*Wo finde ich **hier** Computer? – Im dritten Stock. Fragen Sie **dort** einen Verkäufer.*
*Ich steige die Treppe **hinauf**.*

§ 22 Die wichtigsten Präpositionen

Präpositionen + Dativ	aus	bei	mit	nach
	von	seit	zu	ab

Und du, Bülent? – Ich komme ***aus*** *der Türkei.*

aus + Artikel im Dativ (die Türkei → aus der Türkei)

Präpositionen + Akkusativ	durch	für	ohne

Herzlichen Dank ***für*** *die Blumen! – Bitte, gern geschehen!*

für + Artikel im Akkusativ (die Blumen → für die Blumen)

Wechselpräpositionen Wo? = + Dativ Wohin? = + Akkusativ	an auf hinter in neben über unter vor zwischen

Wohin? → **+ Akkusativ**	**Wo?** → **+ Dativ**
Ich gehe ***in die*** *Schule.*	*Ich bin* ***in der*** *Schule.*
Häng das Bild ***an die*** *Wand!* *Leg das Buch* ***auf den*** *Tisch!*	*So, jetzt hängt es* ***an der*** *Wand.* *Jetzt liegt es* ***auf dem*** *Tisch.*

§ 23 Die Präpositionen – Bedeutung

1. Präpositionen: Ort oder Richtung

Woher?	Wo?	Wohin?
aus + Dativ / von + Dativ	**bei + Dativ / in + Dativ**	**nach + Dativ / zu + Dativ / in + Akkusativ**
Ruth holt Anna **vom** Kindergarten ab. Bülent kommt **aus der** Türkei.	Sie ist Flugbegleiterin **bei der** Lufthansa. Kawena wohnt **in der** Schleißheimer Straße.	Martina fliegt oft **nach** Asien. Luisa möchte **zum** Mauermuseum. Er fährt **in die** Schweiz.

Die Wechselpräpositionen

Auf die Frage **Wo** steht / ist ...?: Wechselpräposition + Dativ
Auf die Frage **Wohin** geht / legt ...?: Wechselpräposition + Akkusativ

auf

über

unter

hinter

vor

zwischen

neben

an

in

Otto geht ***unter den*** *Teppich.* *Jetzt ist Otto* ***unter dem*** *Teppich.*

2. Präpositionen: Zeit

am + Tag	Was möchtest du **am** Samstag machen?
am + Datum	Vera kommt **am** 12. Februar.
um + Uhrzeit	Der Film beginnt **um** 20 Uhr.
im + Monat	Julia hat **im** Juli Urlaub.
ab + Datum	Sie ist **ab (dem)** 24. August in Graz.
bis (zum) + Datum	Sie ist **bis (zum)** 31. August in Graz.
von ... bis + Tage	Sie hat **von** Montag **bis** Mittwoch Proben.
von ... bis + Uhrzeiten	Wir haben **von** 9 **bis** 13.30 Uhr Unterricht.
seit + Zeitangabe	Diana lernt **seit** sechs Monaten Deutsch.

3. Die Präpositionen für / von / mit / ohne

für + AKK
von + DAT
mit + DAT
ohne + AKK

Die Blumen sind ***für*** *dich.*
Sie sind ***von*** *mir.*
Ich möchte ***mit*** *dir ins Kino gehen.*
Ohne *dich will ich nicht leben.*

§24 Die Präpositionen – Kurzformen

Präposition + Artikel	Kurzform
an + dem	am
an + das	ans
bei + dem	beim
in + dem	im

Präposition + Artikel	Kurzform
in + das	ins
von + dem	vom
zu + der	zur
zu + dem	zum

Die Konjunktionen

§ 25 und / oder / aber

Addition	Ich nehme ein Sandwich **und** ein Bier. Ich esse eine Pizza **und** Vera trinkt einen Apfelsaft.
Alternative	Nimmst du Kaffee **oder** Tee? Nimmst du Milch **oder** möchtest du lieber keine?
Kontrast	Ich trinke Kaffee, **aber** ohne Zucker. Ich habe Geburtstag, **aber** niemand kommt.

Die Modalpartikeln

§ 26 Die Bedeutungen der Modalpartikeln

Modalpartikeln geben einem Satz einen subjektiven Akzent.

(Ich finde, das ist nicht lange.)
Wir sind erst drei Jahre verheiratet.
(Ich finde, das ist sehr lange.)
Wir sind schon drei Jahre verheiratet.

Bitten / Ratschläge freundlich machen

Geben Sie mir **doch mal** einen Tipp.
Geh **doch** in einen Verein!
Kommen Sie **bitte** mit.

stärker / schwächer machen

Na ja, die Wohnung ist **ganz** okay.
Die Wohnung ist **sehr** schön.
Schau mal, das Sofa ist **doch** toll!

ungenaue Angaben

Also, ich komme **so um** zehn Uhr.
Die Reise kostet **ungefähr** 2000 Euro.
Ca. 95 %.
Fast alle haben hier einen Fernseher.
Über die Hälfte hat eine Mikrowelle.
Ich bin **etwa** zwei Jahre verheiratet.
Ich komme **etwas** später.
Er spricht **ein wenig** Deutsch.

Fragen freundlich machen

Hast du **vielleicht** auch Tee?
Gebt ihr mir **mal** eine Schachtel Zigaretten?

Interesse zeigen

Wie alt sind **denn** Ihre Kinder?
Wie geht's Ihnen **denn**?
Ist die Wohnung **denn auch** günstig?

Überraschung zeigen

Oh, das ist **aber** nett von dir!
Nein, wirklich?
Aber das ist **doch** nicht möglich!

Negatives freundlich sagen

Das ist **doch** altmodisch. (Ich finde es nicht toll.)
Ich finde das Sofa **nicht so** schön.
Es ist mir **zu** langweilig.
Wenigstens ist es nicht so teuer.
Eigentlich komme ich aus Rostock, aber …

Die Zahlen

§ 27 Die Kardinalzahlen

0 bis 99

0	null	10	zehn	20	zwanzig	30	dreißig
1	eins	11	elf	21	einundzwanzig	31	einunddreißig
2	zwei	12	zwölf	22	zweiundzwanzig	32	zweiunddreißig
3	drei	13	dreizehn	23	dreiundzwanzig		…
4	vier	14	vierzehn	24	vierundzwanzig	40	vierzig
5	fünf	15	fünfzehn	25	fünfundzwanzig	50	fünfzig
6	sechs	16	sechzehn	26	sechsundzwanzig	60	sechzig
7	sieben	17	siebzehn	27	siebenundzwanzig	70	siebzig
8	acht	18	achtzehn	28	achtundzwanzig	80	achtzig
9	neun	19	neunzehn	29	neunundzwanzig	90	neunzig

ab 100

100	(ein)hundert	110	(ein)hundertzehn	1000	(ein)tausend
101	(ein)hunderteins		…	1001	(ein)tausend(und)eins
102	(ein)hundertzwei	200	zweihundert	1010	(ein)tausendzehn
103	(ein)hundertdrei	300	dreihundert	1120	(ein)tausendeinhundertzwanzig
104	(ein)hundertvier	400	vierhundert	1490	(ein)tausendvierhundertneunzig
105	(ein)hundertfünf	500	fünfhundert	5000	fünftausend
106	(ein)hundertsechs	600	sechshundert	10 000	zehntausend
107	(ein)hundertsieben	700	siebenhundert	100 000	(ein)hunderttausend
108	(ein)hundertacht	800	achthundert	1 000 000	eine Million
109	(ein)hundertneun	900	neunhundert	1 000 000 000	eine Milliarde

Die Zahlen von 13 bis 99 liest man von rechts nach links. *Beispiel:*

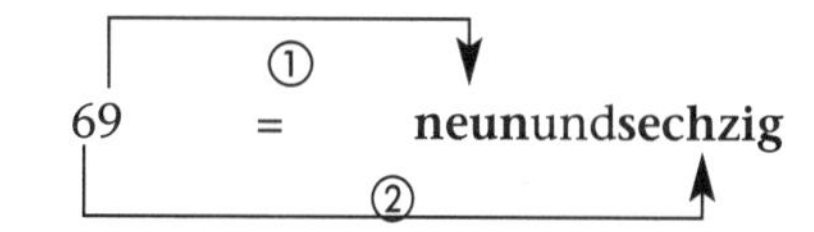

§ 28 Die Ordinalzahlen

die / der / das …

1.	**erste**	7.	**siebte**	13.	dreizehnte
2.	zweite	8.	**achte**		…
3.	**dritte**	9.	neunte	20.	zwanzigste
4.	vierte	10.	zehnte	21.	einundzwanzigste
5.	fünfte	11.	elfte	100.	hundertste
6.	sechste	12.	zwölfte	1000.	tausendste

Die Ordinalzahlen bildet man so:

bis 19.:	Kardinalzahl + Endung **„-te“**
ab 20.:	Kardinalzahl + Endung **„-ste“**

§29 Die Zahlwörter

Eine Banane, bitte.

ein / eine	*Eine Banane, bitte.*
viel	*1000 Euro sind viel Geld.*
wenig	*10 Euro sind wenig Geld.*
einmal / zweimal	*Ich gehe zweimal im Monat ins Kino.*

1. Jahreszahlen

Jahreszahlen bis 1099 und ab 2000 spricht man wie Kardinalzahlen.
813 → 8 hundert 13 2010 → 2 tausend 10

Jahreszahlen zwischen 1100 und 1999 spricht man nicht wie Kardinalzahlen, sondern man zählt die Hunderter.
1492 → 14 hundert 92 1999 → 19 hundert 99

Jahreszahlen stehen **ohne** die Präposition „**in**".
Herr Haufiku ist 1969 geboren.
Aber: **Im** Jahr 1997 ist er nach Deutschland gekommen.

2. Zahlen mit Komma

Zahlen mit Komma spricht man so aus:
3,5 → drei Komma fünf
3,52 → drei Komma fünf zwei

3. Prozentzahlen

Prozentzahlen spricht man so aus:
35 % → fünfunddreißig Prozent
3,5 % → drei Komma fünf Prozent
3,52 % → drei Komma fünf zwei Prozent

4. Bruchzahlen

$^1/_2$ → die Hälfte
$^1/_3$, $^2/_3$ → ein Drittel, zwei Drittel
$^1/_4$, $^3/_4$ → ein Viertel, drei Viertel

5. Preise

Preise spricht man so aus:
9,35 € → Neun Euro fünfunddreißig
825,99 € → Achthundertfünfundzwanzig Euro neunundneunzig

§ 30 Datum und Uhrzeit

	Uhrzeit	in der Umgangssprache
	10.00 Uhr	(genau) zehn
	10.05 Uhr	fünf nach zehn
	10.10 Uhr	zehn nach zehn
	10.15 Uhr	Viertel nach zehn
	10.20 Uhr	zwanzig nach zehn
	10.25 Uhr	fünf vor halb elf
	10.30 Uhr	halb elf
	10.35 Uhr	fünf nach halb elf
	10.40 Uhr	zwanzig vor elf
	10.45 Uhr	Viertel vor elf
	10.50 Uhr	zehn vor elf
	10.55 Uhr	fünf vor elf
	11.00 Uhr	(genau) elf

Wie spät ist es, bitte?

Es ist fünf nach zehn.

Wann beginnt das Fest?

Es beginnt um halb elf.

Ui! Schon zehn vor elf!

Datum	Heute ist …	Ich komme …
1. 1.	**der** erste Januar	**am** ersten Januar
2. 2.	**der** zweite Februar	**am** zweiten Februar
3. 3.	**der** dritte März	**am** dritten März
4. 4.	**der** vierte April	**am** vierten April
5. 5.	**der** fünfte Mai	**am** fünften Mai
6. 6.	**der** sechste Juni	**am** sechsten Juni
7. 7.	**der** siebte Juli	**am** siebten Juli
8. 8.	**der** achte August	**am** achten August
9. 9.	**der** neunte September	**am** neunten September
10. 10.	**der** zehnte Oktober	**am** zehnten Oktober
11. 11.	**der** elfte November	**am** elften November
12. 12.	**der** zwölfte Dezember	**am** zwölften Dezember

Mein Geburtstag ist am sechsten Januar und heute ist erst der dritte. Noch dreimal schlafen also …

Die Wortbildung

§31 Komposita

Nomen + Nomen	Adjektiv + Nomen	Verb + Nomen
die Kleider (Pl.) + der Schrank → **der Kleiderschrank**	hoch + das Bett → **das Hochbett**	schreiben + der Tisch → **der Schreibtisch**
die Wolle + der Teppich → **der Wollteppich**	spät + die Vorstellung → **die Spätvorstellung**	stehen + die Lampe → **die Stehlampe**

Das Grundwort steht am Ende und bestimmt den Artikel. — *der Schrank – **der** Kleider**schrank***

Das Bestimmungswort (am Anfang) hat den Wortakzent. — *der Kl**ei**derschrank*

Einige Komposita verlangen ein „s" dazwischen. — *der Geburtstag, das Lieblingsessen*

§32 Vorsilben und Nachsilben

1. Die Wortbildung mit Nachsilben

-isch für Sprachen:
*England – Engl**isch**, Indonesien – Indones**isch**, Japan – Japan**isch**, Portugal – Portugies**isch***

-in für weibliche Berufe und Nationalitäten:
*der Arzt – die Ärzt**in**, der Pilot – die Pilot**in**, der Kunde – die Kund**in** …*
*der Spanier – die Spanier**in**, der Japaner – die Japaner**in**, der Portugiese – die Portugies**in***

-isch / **-ig** / **-lich** für Adjektive:
*prakt**isch**, richt**ig**, günst**ig**, freund**lich***

-keit / **-ung** / **-ion** für Nomen:
*die Sehenswürdig**keit**, die Möglich**keit**, die Erfahr**ung**, die Veranstalt**ung**, die Informat**ion***

2. Die Wortbildung mit Vorsilben

un- als Negation bei Adjektiven:

praktisch	–	***un**praktisch*	*≈ nicht praktisch*
bequem	–	***un**bequem*	*≈ nicht bequem*

Viele Adjektive negiert man mit **nicht**, z. B. *nicht teuer, nicht billig, nicht viel …*

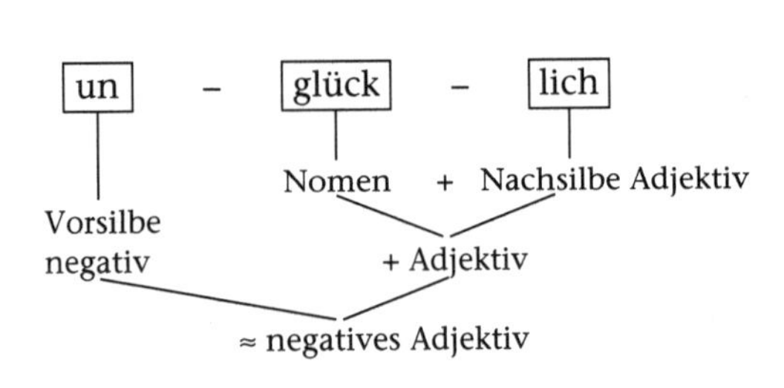

III Der Satz

§ 33 Der Aussagesatz

Im Aussagesatz steht das Verb auf Position 2.

Position 1	Position 2	
Das Sofa	*finde*	*ich* *toll.* (ich = Subjekt)
Ich (Subjekt)	*kaufe*	*doch kein Sofa für 999 Euro!*
Heute	*kaufe*	*ich* *euch kein Eis.* (ich = Subjekt)
Andrea und Petra (Subjekt)	*arbeiten*	*auch bei TransFair.*

▶ Es gibt auch kurze Sätze ohne Subjekt und Verb: *Woher kommst du? –* ***Aus Australien.***
Was möchten Sie trinken? – ***Einen Apfelsaft, bitte.***

§ 34 Der Fragesatz

Es gibt **W-Fragen** und **Ja/Nein-Fragen**:

W-Fragen
Woher kommst du?
– Aus ...

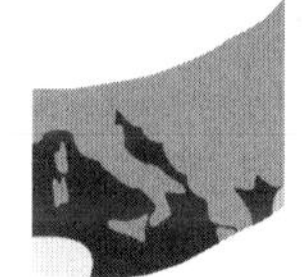

Ja/Nein-Fragen:
Kommst du aus Italien?
– Ja (, aus Rom).
Nein, aus Spanien.

! Im Fragesatz steht das Verb auf Position 1 oder 2.

Position 1	Position 2		
Woher	*kommst*	*du* ?	**W-Frage**
Kommst	*du*	*aus Australien?*	**Ja/Nein-Frage**

§ 35 Der Imperativ-Satz

! Im Imperativ-Satz steht das Verb auf Position 1.

per du	Position 1	
	*Schau*	*doch mal ins Wörterbuch!*
	Bestell	*doch eine Gulaschsuppe.*
	Gebt	*mir mal einen Tipp!*

per Sie	Position 1	
	*Buchstabieren*	*Sie* *bitte!*
	Nehmen	*Sie* *doch eine Gulaschsuppe.*
	*Geben*	*Sie* *mir mal einen Tipp.*

Die Wörter ***doch***, ***mal*** oder ***bitte*** machen Imperativ-Sätze höflicher.

§36 Die Satzteile

Der deutsche Satz

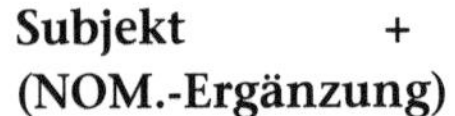

Subjekt (NOM.-Ergänzung)	+	**1 Verb**	+	**Ergänzung**
Die Kinder (NOM)	+	*schlafen.* (NOM)		
Ich (NOM)	+	*möchte* (NOM, AKK)	+	*einen Orangensaft,* (AKK) *bitte.*
Frau Jünger (NOM)	+	*kauft* (NOM, DAT, AKK)	+	*Tanja* (DAT) *Gummibärchen* (AKK) .

§37 Das Satzgefüge

Der Hauptsatz

Andrea ***bestellt*** *einen Salat.* — Das Verb steht auf Position 2.

Wir können Sätze kombinieren:

Hauptsatz + Hauptsatz

Roman bestellt eine Suppe. Andrea bestellt einen Salat.

Roman bestellt eine Suppe ***und*** *Andrea bestellt einen Salat.*

Sie lebt in San Francisco. Sie lebt in Irland.

Sie lebt in San Francisco ***oder*** *(sie lebt) in Irland.*

Er kommt nicht oft zum Unterricht. Er hat gute Noten.

Er kommt nicht oft zum Unterricht, ***aber*** *er hat gute Noten.*

Quellenverzeichnis

Umschlagfoto mit Alexander Aleksandrow, Manuela Dombeck, Anja Jaeger, Kay-Alexander Müller und Lilly Zhu: Arts & Crafts, Dieter Reichler, München

Kursbuch:

Seite 1: Nina Ruge (Breuel Bild), Jürgen Klinsmann (bonn-sequenz), Claudia Schiffer (Stephan Rumpf): Süddeutscher Verlag Bilderdienst, München; Jim Rakete (Markus Beck), Jochen Senf (Rolf Ruppenthal): picture-alliance/dpa, Frankfurt a. M.; Andi Weidl: H. und M. Leuthel Pressedienst, Nürnberg; Stewardess: Deutsche Lufthansa AG, Pressestelle, Köln; Biergarten: Fremdenverkehrsamt München/C. Reiter
Seite 4: Foto: irisblende.de
Seite 13: Cartoon: Wilfried Poll, München
Seite 15/16: Silke Hilpert, München
Seite: 18: Arts & Crafts, Dieter Reichler, München
Seite 22: Text aus: Stern 45/94, Petra Schnitt/Stern, Picture Press, Hamburg; Fotos: Michael Wolf/Visum, Hamburg
Seite 27: Cartoon: Peter Gaymann, © CCC Arno Koch, München
Seite 29: A und E: MHV/MEV; B: © Werkstatt der Kulturen (www.karneval-berlin.de); C: Presse- und Informationsamt des Landes Berlin/Thie; D: Ildar Nazyrov, Berlin; F: Presse- und Informationsamt des Landes Berlin/W. Gerling
Seite 31: Stadtplan: © cartomedia
Seite 33: A und B: Ildar Nazyrov, Berlin; C: MHV-Archiv
Seite 36: 1 und 3: MHV-Archiv (Christine Stephan): 2: Superbild/AAA; 4: MHV/PhotoDisc
Seite 39: Cartoon: Matthias Schwoerer, Badenweiler
Seite 41: B: © DB AG/Mann; C: Deutsche Lufthansa AG
Seite 42/51: Illustrationen: Gisela Specht, Weßling
Seite 44: Karte: mit freundlicher Genehmigung von © DocCards

Arbeitsbuch:

Seite 67: A und D: Arts & Crafts, Dieter Reichler, München
Seite 77: links: Daniela Wagner, Erding; Mitte und rechts: Silke Hilpert, München
Seite 113/122: Illustrationen: Gisela Specht, Weßling

Werner Bönzli, Reichertshausen: S. 1: Ricarda Reichart; S. 5; S. 10 oben; S. 26; S. 67: B, C und E; S. 85; S. 143

Gerd Pfeiffer, München: S. 10 unten; S. 13; S. 17; S. 20; S. 41 A, D, E und F